D1141253

Las Pigmejów

ISABEL ALLENDE

Las Pigmejów

przełożyła Magdalena Płachta

Warszawskie Wydawnictwo Literackie MUZA SA

Tytuł oryginału: ***El Bosque de los Pigmeos***
Projekt okładki: *Iwona Walaszek*
Redakcja: *Stanisława Staszkiel*
Redakcja techniczna: *Zbigniew Katafiasz*
Korekta: *Elżbieta Jaroszuk*

ISBN 83-7319-668-4 (oprawa twarda)
ISBN 83-7319-669-2 (oprawa broszurowa)

Warszawskie Wydawnictwo Literackie
MUZA SA
Warszawa 2004

Bratu Fernandowi de la Fuente,
misjonarzowi w Afryce,
którego duch ożywia tę historię

ROZDZIAŁ 1

Wróżka z targowiska

Na komendę przewodnika, Michaela Mushahy, karawana słoni zatrzymała się. Dochodziło południe, rozpoczynała się duszna, upalna pora dnia, podczas której zwierzęta z rozległego rezerwatu przyrody odpoczywały. Życie zamierało na kilka godzin, afrykańska ziemia zamieniała się w piekło rozpalonej lawy i nawet hieny i sępy rozglądały się za cieniem. Alexander Cold i Nadia Santos dosiadali kapryśnego samca o imieniu Kobi. Zwierzę polubiło Nadię, bo w ciągu kilku dni dziewczynka, chcąc się z nim porozumieć, przyswoiła sobie podstawy słoniowej mowy. W czasie długich spacerów opowiadała mu o swojej ojczyźnie, Brazylii – kraju położonym hen daleko, gdzie nie było stworzeń tak wielkich jak on, z wyjątkiem wspaniałych stuletnich Bestii zamieszkujących niezbadane ostępy w górach Ameryki Południowej. Kobi lubił Nadię tak bardzo, jak nie znosił Alexandra, i przy każdej okazji dawał upust obu tym uczuciom.

Pięciotonowa góra mięśni i tłuszczu w postaci Kobiego zatrzymała się w małej oazie pod pokrytymi pyłem drzewami, które czerpały życie z kałuży w kolorze bawarki. Alexander musiał opracować własną technikę zsiadania z wysokości trzech metrów – tak by zanadto się nie poobijać – ponieważ, mimo że safari trwało już pięć dni, nie udało mu się nakłonić słonia do współpracy. Zsunął się z jego grzbietu, grzęznąc po kolana w kałuży, bo nie zauważył, że Kobi celowo się tak ustawił. Borobá, czarna małpka Nadii, wskoczyła mu na głowę. Próbując ją odgonić, stracił równowagę i usiadł w błocie. Zaklął pod nosem, zrzucił małpkę i podniósł się z trudem, nic bowiem nie widział – z jego okularów spływały strużki błota. W chwili gdy szukał czystego miejsca na koszulce, by przetrzeć szkła, słoniowa trąba spadła na jego plecy i ponownie, ale tym razem łącznie z nosem, znalazł się w kałuży. Kobi zaczekał, aż Alex się podniesie, po czym odwrócił się, wycelował zad w twarz chłopaka i puścił ogłuszającego bąka. Pozostali uczestnicy wyprawy skwitowali figiel słonia chóralnym śmiechem.

Nadii nie spieszno było zsiadać, wolała zaczekać, aż Kobi pomoże jej zejść z godnością na stały ląd. Zsunęła się na podstawiane jej słoniowe kolano i trzymając się trąby, spłynęła na ziemię z lekkością baletnicy. Kobi nie okazywał tylu względów nikomu innemu, nawet Michaelowi Mushasie, którego darzył szacunkiem, choć nie czuł do niego sympatii. Był słoniem z zasadami. Transportowanie turystów to jedno – praca jak każda, w zamian mógł liczyć na wyśmienite posiłki i kąpiele błotne – a robienie cyrkowych sztuczek za garść fistaszków to zupełnie co innego. Nie ukrywał, że lubi orzeszki ziemne, ale znacznie większą frajdę sprawiało mu gnębienie typków takich jak Alexander. Dlaczego czuł do niego taką antypatię? Sam nie bardzo wiedział, nie znosił go i już. Drażniło go, że ciągle kręcił się koło Nadii. Mimo że karawana liczyła trzynaście słoni, chłopak trzymał się kurczowo właśnie jego, był jak piąte koło u wozu, zawsze między Nadią a Kobim. Czy naprawdę tak trudno było zrozumieć, że chcą sobie pogawędzić bez świadków? Mocniejszy zamach trąbą, a od czasu do czasu smrodliwy bąk to tylko namiastka tego, na co typ ten zasługiwał. Kobi prychnął donośnie, gdy Nadia stanęła na ziemi i podziękowała mu, cmokając go w trąbę. Ta mała potrafiła się zachować, nigdy nie próbowała go poniżać, podsuwając fistaszki.

– Ten słoń zadurzył się w Nadii – zaśmiała się Kate Cold.

Borobá nieufnie patrzyła na zażyłość łączącą jej panią z Kobim. Obserwowała ich z niepokojem. Zainteresowanie Nadii językiem słoni mogło się dla małpki źle skończyć. Czyżby dziewczynka planowała zmianę pupila? Może powinna udać chorobę, by skupić na sobie całą uwagę swojej pani, obawiała się jednak, że wtedy będzie musiała zostać w obozie i ominą ją fantastyczne spacery po rezerwacie, dzięki którym miała niepowtarzalną okazję przyjrzeć się swoim dzikim pobratymcom. Poza tym nie należało spuszczać rywala z oka. Wskoczyła Nadii na ramię, by pokazać, gdzie jest jej miejsce, i pogroziła słoniowi pięścią.

– A tę małpę zżera zazdrość – dodała Kate.

Leciwa pisarka dobrze znała humory tego zwierzątka, bo od prawie dwóch lat żyła z nim pod jednym dachem. Miała wrażenie, że dzieli mieszkanie z kosmatym człowieczkiem. Tak było od samego początku, bo Nadia zgodziła się pójść do szkoły w Nowym Jorku i zamieszkać z babcią Alexandra pod warunkiem, że Borobá będzie jej towarzyszyć. Były nierozłączne. Wystarano się nawet o specjalną przepustkę zezwalającą temu zwierzęciu na udział w szkolnych zajęciach. Była to pierwsza małpa w historii nowojorskiej oświaty regularnie uczęszczająca na lekcje. Kate nie zdziwiłaby się, gdyby się nagle okazało, że pupilka Nadii potrafi czytać. W sennych koszmarach widziała, jak Borobá, w okularach i ze szklaneczką brandy w łapce, siedzi na kanapie i studiuje w gazecie notowania giełdowe.

Kate uważnie obserwowała tę dziwną trójcę złożoną z Alexandra, Nadii i jej małpki. Borobá, zazdrosna o każdego, kto próbował się zbliżyć do jej pani, początkowo akceptowała Alexandra jako zło konieczne, ale z czasem się do niego przywiązała. Może czuła, że tym razem nie powinna stawiać Nadii tradycyjnego ultimatum „on albo ja". Kto wie, kogo by jej pani wybrała. Przez ostatni rok, pomyślała Kate, Nadia i Alexander bardzo się zmienili. Dziewczynka miała niebawem obchodzić piętnaste urodziny, a osiemnastoletni już niemal Alex wyglądem i powagą przypominał dorosłego mężczyznę.

Oni oboje również byli tego świadomi. Podczas nieuniknionej rozłąki z maniakalną zawziętością porozumiewali się za pomocą poczty elektronicznej. Trawili godziny przed komputerem, prowadząc nieustający dialog i dzieląc się wszystkim: od najbardziej banalnych szczegółów dnia codziennego po filozoficzne rozterki trapiące dorastających ludzi. Często przesyłali sobie zdjęcia, ale nawet one nie ustrzegły ich od zaskoczenia, jakiego doznali przy spotkaniu. Alexander wyrósł i dogonił wzrostem ojca, jego rysy nabrały zdecydowanie męskiego wyglądu, od kilku miesięcy musiał się codziennie golić. Nadia też nie była już tą chudziutką dziewczynką z papuzimi piórami za uchem, którą Alex spotkał kilka lat przedtem w Amazonii: w jej kształtach można się już było dopatrzyć kobiety, jaką miała się stać lada moment.

Kate Cold, Alexander i Nadia znajdowali się w sercu Afryki, biorąc udział w pierwszym zorganizowanym dla turystów safari na słoniach. Autorem pomysłu był Michael Mushaha, wykształcony w Londynie afrykański przyrodnik, który uznał, że takie zwiedzanie rezerwatu to najlepszy sposób zbliżenia się do dzikiej fauny. Wprawdzie słonie afrykańskie nie dają się łatwo oswoić, w przeciwieństwie do ich kuzynów z Indii i innych zakątków świata, ale Michaelowi udało się to dzięki cierpliwości i rozwadze. W broszurce reklamowej zwięźle przedstawiał swoje argumenty: „Słonie należą do miejscowej fauny i nie płoszą innych dzikich zwierząt, nie zużywają benzyny, nie zanieczyszczają powietrza, a ich pojawienie się nie stawia na nogi całej okolicy".

Kate Cold zlecono napisanie artykułu na ten właśnie temat. Dowiedziała się o tym w stolicy Królestwa Złotego Smoka, Tunkhali, gdzie przebywała razem z Alexandrem i Nadią. Król Dil Bahadur i jego małżonka Pema zaprosili całą trójkę z okazji narodzin ich pierworodnego syna oraz odsłonięcia nowego posążka Złotego Smoka. Oryginalna rzeźba uległa zniszczeniu podczas eksplozji i została zastąpiona identyczną, wykonaną przez zaprzyjaźnionego z Kate jubilera.

Po raz pierwszy mieszkańcy tego położonego w Himalajach królestwa mogli na własne oczy zobaczyć legendarnego Złotego Smoka, do którego dostęp miał dotychczas jedynie panujący władca. Dil Bahadur postanowił wystawić posążek na widok publiczny. Do królewskiego pałacu licznie przybyli poddani, by podziwiać figurkę i złożyć dary w postaci kwiatów i kadzidła. Widok był naprawdę wspaniały. Wykonany ze złota i kamieni smok, ustawiony na cokole z polichromowanego drewna, lśnił w świetle stu lamp. Czterech żołnierzy, ubranych w mundury galowe z zamierzchłych czasów, w skórzanych kapeluszach i pióropuszach, trzymało wartę przy posągu, dzierżąc w rękach ozdobne włócznie. Dil Bahadur, nie chcąc obrażać swoich poddanych, nie pozwolił na zastosowanie środków bezpieczeństwa.

Zaraz po zakończeniu oficjalnej ceremonii odsłonięcia posążka Kate Cold została poproszona do telefonu. Dzwoniono ze Stanów Zjednoczonych. System telekomunikacji w Zakazanym Królestwie był przestarzały i przeprowadzenie rozmowy międzynarodowej stanowiło nie lada sztukę, ale wydawca czasopisma „International Geographic", krzycząc i powtarzając wielokrotnie te same zdania, dopiął swego i pisarka zrozumiała w końcu, czego od niej oczekiwał. Miała się niezwłocznie udać do Afryki.

– Będę musiała zabrać ze sobą wnuka i jego przyjaciółkę. Są tu razem ze mną – wyjaśniła.

– Czasopismo nie bierze na siebie ich wydatków, Kate! – dobiegła odpowiedź z kosmicznej otchłani.

– W takim razie nigdzie nie jadę! – odkrzyknęła pisarka.

Kilka dni później cała trójka znalazła się w Afryce, gdzie w umówionym miejscu czekało już dwóch fotografów, którzy zawsze towarzyszyli Kate w dziennikarskich wyprawach: Anglik Timothy Bruce i Latynos Joel González. Pisarka zarzekała się co prawda, że nigdy więcej nie zabierze ze sobą wnuka i Nadii, bowiem podczas poprzednich wypraw zdrowo się z ich winy nadenerwowała, ale doszła do wniosku, że zorganizowana z myślą o turystach wędrówka po afrykańskim rezerwacie nie może się wiązać z żadnym niebezpieczeństwem.

Na lotnisku w stolicy Kenii oczekiwał członków wyprawy pracownik Michaela Mushahy. Po powitaniach odwiózł ich do hotelu, by ochłonęli po morderczej podróży, podczas której zaliczyli cztery przesiadki i przelecieli nad trzema kontynentami tysiące kilometrów. Następnego dnia wstali skoro świt, gdyż chcieli obejrzeć miasto, zwiedzić muzeum i zajrzeć na miejscowy bazar, zanim wsiądą do awionetki, która miała ich dowieźć do rezerwatu.

Położony w starej dzielnicy bazar krył się wśród bujnej roślinności. Na niebrukowanych uliczkach tłoczyli się ludzie i pojazdy: motocykle z trzema, a nawet czterema pasażerami, rozklekotane autobusy oraz wózki ciągnięte przez właścicieli. Sprzedawano najróżnorodniejsze rzeczy, od rogów nosorożca i złotych rybek z Nilu po przemycaną broń. Członkowie wyprawy rozdzielili się, ustaliwszy, że spotkają się po godzinie na jednym z rogów bazaru. Łatwo było to powiedzieć, trudniej – wykonać, w tłumie i zgiełku ginęły bowiem wszystkie punkty odniesienia. Alexander, bojąc się, że Nadia się zgubi lub padnie ofiarą pirata drogowego, chwycił ją mocno za rękę i razem ruszyli przed siebie.

Bazar stanowił przykład wielorakości afrykańskich ras i kultur: byli tam pustynni nomadzi, smukli jeźdźcy dosiadający odświętnie przybranych koni, muzułmanie w misternie zaplecionych turbanach i z zasłoniętą połową twarzy, kobiety o ognistym spojrzeniu i twarzach pokrytych niebieskimi tatuażami, nadzy pasterze, których ciała pomalowane były czerwoną gliną i białą kredą. Setki bosych dzieci bawiło się pośród watah psów. Niezwykły widok przedstawiały sobą kobiety: niektóre nosiły na głowie jaskrawe, wykrochmalone chusty przypominające z daleka żagle, inne miały ogolone czaszki, a ich szyje od ramion po podbródek pokrywały naszyjniki z koralików, jeszcze inne owinięte były w kilometry pstrokatych tkanin, a nie brakowało i takich, które paradowały prawie nago. W powietrzu roznosił się niesłabnący gwar rozmów w rozlicznych językach, wszędzie było słychać muzykę, śmiechy, pisk klaksonów i ryk zwierząt zarzynanych na poczekaniu. Krew skapywała z rzeźnickich stołów i wsiąkała w pył ulicy, wokół krążyły nisko czarne sępy, gotowe w każdej chwili pochwycić coś dla siebie.

Alexander i Nadia spacerowali oszołomieni tym przepychem barw, przystając co chwila, by potargować się o cenę szklanej bransoletki, skosztować ciasta kukurydzianego lub pstryknąć zdjęcie najzwyklejszym w świecie aparatem automatycznym, który kupili w ostatniej chwili na lotnisku. Nagle wpadli na strusia, który czekał, przywiązany za nogi, aż wybije jego godzina. Ptaszysko – znacznie wyższe, silniejsze i bardziej zadziorne, niż można się było spodziewać – popatrzyło na nich z góry z bezgraniczną pogardą, po czym bez ostrzeżenia zgięło długaśną szyję, celując dziobem w małpkę, która siedziała na głowie Alexandra i trzymała się kurczowo jego uszu. Borobá uchyliła się przed śmiertelnym ciosem i zaczęła piszczeć jak oszalała. Struś, bijąc rachitycznymi skrzydłami, rzucił się na nich na tyle, na ile pozwalał mu pętający nogi postronek. Joel González przechodził przypadkiem tuż obok i uwiecznił na kliszy przerażenie malujące się na twarzy Alexandra oraz na pyszczku małpki, podczas gdy Nadia, wymachując rękami, broniła ich przed nieoczekiwanym napastnikiem.

– To będzie zdjęcie na pierwszą stronę! – wykrzyknął Joel.

Uciekając przed strusiem zawadiaką, Nadia i Alexander skręcili w sąsiednią ulicę i znaleźli się nagle w części targowiska poświęconej magii. Jasnowidze, fetyszyści, znachorzy, truciciele, egzorcyści, czarownicy specjalizujący się w magii dobrej i złej oraz kapłani wudu przyjmowali interesantów pod zamocowanymi na drągach daszkami chroniącymi przed słońcem. Wywodzili się z setek odmiennych plemion i praktykowali najprzeróżniejsze kulty. Nadia i Alexander, trzymając się wciąż za ręce, przemierzali wąskie uliczki, co rusz przystając, by rzucić okiem na dziwaczne stworzenia zatopione we flaszeczkach z alkoholem, wypchane gady, amulety chroniące przed złym urokiem i nieszczęśliwą miłością, zioła, mikstury i specyfiki leczące choroby ciała i duszy, sproszkowane remedia zsyłające sen, zapomnienie oraz gwarantujące wskrzeszenie, żywe zwierzęta przeznaczone na rytualne ofiary, naszyjniki strzegące przed zawiścią i chciwością, krwawy atrament do korespondencji ze zmarłymi oraz cały arsenał niezwykłych przedmiotów mających ukoić strach przed życiem.

Nadia widziała rytuały wudu w Brazylii i była co nieco obeznana z ich oprawą, ale Alexandrowi ta część targowiska jawiła się jako kraina z bajki. Przystanęli przed straganem, który różnił się od pozostałych: ze słomianego dachu w kształcie stożka zwieszały się plastikowe kotary. Gdy Alexander pochylił się, by zajrzeć do wnętrza, dwie mocarne ręce chwyciły go za ubranie i wciągnęły do środka.

Na klepisku pod zadaszeniem siedziała potężna kobieta, istna góra mięsa z wielką turkusową chustą na głowie. Ubrana była na żółto i niebiesko, jej biust pokrywały sznury wielobarwnych paciorków. Przedstawiła się jako wróżka i kapłanka wudu, łączniczka pomiędzy światem materialnym a światem zjaw. Wokół rozpostartej na ziemi tkaniny w czarno-białe wzory stały drewniane posążki bogów lub demonów, niektóre skąpane w świeżej krwi złożonych w ofierze zwierząt, inne najeżone gwoździami. Obok nich leżały dary z owoców, zbóż i kwiatów oraz pieniądze. Kobieta ćmiła zwinięte w rulon czarne liście, z których wydobywał się gęsty dym wyciskający Nadii i Alexandrowi łzy z oczu. Alex spróbował uwolnić się od paraliżującego uścisku, ale wtedy wróżka, wbiwszy w niego swe wyłupiaste oczy, wydobyła z siebie gardłowy ryk. Chłopak rozpoznał wołanie swego totemicznego zwierzęcia, to, które słyszał, gdy zapadał w trans, i które wydawał, gdy się w nie przeistaczał.

– To czarny jaguar! – zawołała Nadia.

Czarownica nakazała młodemu Amerykaninowi usiąść naprzeciw siebie, wydobyła zza pazuchy wysłużony skórzany mieszek i wysypała jego zawartość na malowaną tkaninę. Były to białe muszelki wypolerowane od częstego używania. Wróżka poczęła mruczeć coś w swoim języku, przygryzając zębami papierosa, którego ani na chwilę nie wyjęła z ust.

– *Anglais*? *English*? – zapytał Alexander.

– Przybywasz z daleka, z obcych krain. Czego chcesz od Ma Bangesé? – rzuciła kobieta łamaną angielszczyzną przetykaną afrykańskimi słowami.

Alexander wzruszył ramionami i uśmiechnął się niepewnie, zerkając kątem oka na Nadię, by sprawdzić, czy ona coś z tego wszystkiego rozumie. Dziewczyna wydobyła z kieszeni kilka banknotów i wrzuciła je do jednej z tykw przeznaczonych na ofiary pieniężne.

– Ma Bangesé potrafi czytać w twoim sercu – oświadczyła dragon-baba, zwracając się do Alexandra.

– Co jest w nim zapisane?

– Szukasz leku dla pewnej kobiety – powiedziała Ma Bangesé.

– Mama pokonała już nowotwór, wraca do zdrowia – wybełkotał przestraszony Alexander, zachodząc w głowę, skąd czarownica z afrykańskiego targowiska wie o istnieniu Lisy.

– Mimo to boisz się o nią – oznajmiła Ma Bangesé. Zgarnęła muszle, potrząsnęła nimi i rzuciła jak kostkami do gry. – Nie od ciebie zależy życie i śmierć tej kobiety – dodała.

– Wyzdrowieje? – zapytał Alexander z niepokojem.

– Tylko jeśli wrócisz. Jeśli nie wrócisz, zabije ją smutek, nie choroba.

– Oczywiście, że wrócę do domu – wykrzyknął chłopak.

– Nie wiadomo. Widzę niebezpieczeństwo. Masz w sobie jednak wiele męstwa, musisz je wykorzystać. W przeciwnym razie zginiesz, a ona zginie razem z tobą – wyrecytowała kobieta, wskazując Nadię.

– Co to znaczy? – dopytywał się Alexander.

– Można krzywdzić, można czynić dobro. Nie ma nagrody za czynienie dobra, jest tylko radość, która wypełnia duszę. Czasami trzeba walczyć. Decyzja należy do ciebie.

– Co powinienem zrobić?

– Ma Bangesé zagląda do serca, nie może wytyczać dróg.

Następnie, odwróciwszy się w stronę Nadii, która przysiadła obok Alexandra, dotknęła palcem jej czoła miedzy oczami.

– Jesteś istotą magiczną. Masz wzrok ptaka i spoglądasz z góry, z wysoka. Możesz mu pomóc – rzekła.

Przymknęła oczy i zaczęła kołysać się w przód i w tył, pot spływał jej po twarzy i szyi. W namiocie było nieznośnie gorąco. Dochodził do nich zapach targowiska: zgniłych owoców, śmieci, krwi i benzyny. Ma Bangesé wydała charczący, wydobywający się z głębi brzucha odgłos – przeciągły, ochrypły jęk, który stopniowo narastał, aż wstrząsnął klepiskiem, jak gdyby pochodził z samego serca ziemi. Nadia i Alexander, na wpół przytomni i zlani potem, zlękli się, że mogą ich opuścić siły. W małym, zadymionym pomieszczeniu zaczynało brakować powietrza. Próbowali uciekać, ale byli coraz bardziej odurzeni i po chwili nie mogli się już ruszyć. Wstrząsnęły nimi wibracje bębnów, posłyszeli wycie psów, poczuli w ustach gorzką ślinę i choć wydawało się to nieprawdopodobne, potężna kobieta zniknęła jak balon, z którego uchodzi powietrze, a na jej miejscu pojawiło się niezwykłe stworzenie o wspaniałym żółto-niebieskim upierzeniu i turkusowym czubie – rajski ptak, który otoczył ich tęczą swych skrzydeł i wzbił się razem z nimi w przestworza.

Alexander i Nadia zostali ciśnięci w odmęt kosmosu. Zobaczyli siebie jako dwa maźnięcia czarnego tuszu zagubione w kalejdoskopie jaskrawych kolorów i falujących zmiennych form, które następowały po sobie w zastraszającym tempie. Zamienili się w sztuczne ognie, ich ciała eksplodowały tysiącami iskier, stracili poczucie czasu, lęku, a nawet tego, że żyją. Następnie iskry zlały się w elektryzujący wir i na powrót stali się dwoma maleńkimi punktami przemieszczającymi się pomiędzy formami z fantastycznego kalejdoskopu. Tym razem byli parą kosmonautów, którzy trzymając się za ręce, lewitują w międzygwiezdnej przestrzeni. Nie czuli własnego ciała, choć zachowali mglistą świadomość ruchu i tego, że są razem. Trzymali się za ręce, bo ta styczność była jedynym przejawem ich człowieczeństwa; ten uścisk rąk ratował ich przed unicestwieniem.

Zieleń. Tonęli we wszechogarniającej zieleni. Zaczęli spadać z prędkością strzały i gdy wydawało się, że zderzenie z ziemią jest nieuniknione, kolor zaczął blednąć, a oni, zamiast się rozbić, poczęli opadać jak dwa piórka, zagłębiając się w nierealną roślinność, w podobną do waty florę z innej planety, rozgrzaną i wilgotną. Zmienili się w przezroczyste meduzy i rozpłynęli w parze spowijającej to miejsce. W takiej galaretowatej postaci, bez kości, które nadałyby im formę, bez sił, by się bronić, i bez głosu, który pozwoliłby im krzyczeć, ujrzeli potworne obrazy następujące po sobie jeden po drugim: sceny mordów, krew, wojnę i zrównane z ziemią lasy. Przed ich oczami przeciągnął pochód zjaw skutych łańcuchami, powłóczących nogami pośród szkieletów wielkich zwierząt. Zobaczyli kosze pełne ludzkich dłoni oraz dzieci i kobiety zamknięte w klatkach.

Raptem stali się znowu sobą, powrócili do własnych ciał, a wtedy stanął przed nimi, z przerażającą wyrazistością najgorszych sennych koszmarów, straszny trzygłowy potwór – olbrzym o skórze krokodyla. Każdy jego łeb był inny: pierwszy wieńczyły cztery rogi i szczeciniasta lwia grzywa; z nozdrzy drugiego – zupełnie łysego i pozbawionego oczu – buchał ogień; na miejscu trzeciego tkwiła lamparcia czaszka z zakrwawionymi kłami i gorejącymi źrenicami demona. Wszystkie trzy miały rozwarte paszcze i jęzory iguany. Potężne łapska potwora poruszyły się ociężale i skierowały w stronę Alexandra i Nadii, próbując ich dosięgnąć, hipnotyczne ślepia wbiły się w nich, a trzy pyski splunęły gęstą, jadowitą śliną. Oboje uchylali się raz za razem przed straszliwymi uderzeniami łap, nie mogąc uciekać, gdyż tkwili w grzęzawisku bezsilności. Bardzo długo robili uniki, aż nagle poczuli, że trzymają w rękach dzidy. Wtedy poczęli bronić się rozpaczliwie, uderzając na oślep. Gdy tylko udało im się pokonać jedną z głów, dwie pozostałe przystępowały do ataku, a kiedy i je zmuszali do odwrotu, pierwsza nacierała z nowym zapasem sił. Dzidy połamały się w walce. Wtedy właśnie, w ostatniej chwili, gdy już, już mieli zginąć w paszczy potwora, zdobyli się na nadludzki wysiłek i przemienili w swoje totemiczne zwierzęta: Alexander w jaguara, a Nadia w orła. Jednak wobec tak potężnego nieprzyjaciela na nic zdały się dzikość pierwszego i skrzydła drugiego...

Ich krzyki zagłuszył ryk potwora.

– Nadia! Alexander!

Głos Kate Cold sprowadził ich do znanego im świata. Zobaczyli, że siedzą w tej samej pozycji, w jakiej rozpoczęli tę oszałamiającą podróż, na afrykańskim bazarze, pod dachem ze słomy, naprzeciw olbrzymiej kobiety ubranej na żółto i niebiesko.

– Usłyszeliśmy wasze krzyki. Kim jest ta kobieta? Co się stało? – dopytywała babcia.

– Wszystko w porządku, Kate. Nic się nie stało – zdołał wykrztusić Alexander, chwiejąc się.

Nie wiedział, jak wytłumaczyć babci to, czego doświadczyli. Donośny głos Ma Bangesé zdawał się dobiegać z czeluści snu.

– Miejcie się na baczności! – przestrzegła ich wróżka.

– Co się stało? – nie dawała za wygraną Kate.

– Widzieliśmy trzygłowego potwora. Był niepokonany... – wymamrotała Nadia, nie mogąc otrząsnąć się z oszołomienia.

– Trzymajcie się razem. Tylko to może was uratować. Jeśli się rozdzielicie, zginiecie – rzuciła Ma Bangesé.

Następnego ranka ekipa „International Geographic" udała się awionetką do rozległego rezerwatu przyrody, gdzie czekał na nich Michael Mushaha. Alexander i Nadia byli ciągle pod wrażeniem tego, co przydarzyło im się na bazarze. Alex uważał, że dym z palonego przez Ma Bangesé skręta zawierał substancje odurzające, choć nie wyjaśniało to faktu, że oboje doświadczyli dokładnie takich samych halucynacji. Nadia nie próbowała szukać logicznego wytłumaczenia tego, co ich spotkało; dla niej ta upiorna podróż była źródłem informacji i nauką, podobnymi do tych, jakie czerpie się ze snów. Obrazy pozostały wyraźne w jej pamięci, była pewna, że wcześniej czy później będzie się musiała do nich odwołać.

Za sterem awionetki zasiadała jej właścicielka, Angie Ninderera – tryskająca zaraźliwą energią miłośniczka przygód, która skorzystała z okazji i zatoczyła w powietrzu kilka dodatkowych kół, aby pokazać pasażerom zniewalające piękno krajobrazu. Godzinę później wylądowali na skrawku otwartej przestrzeni, kilka kilometrów od rezerwatu Mushahy.

Nowoczesne zabudowania w parku safari rozczarowały Kate, która oczekiwała czegoś bardziej sielskiego. Zastęp uzbrojonych w walkie-talkie dobrze wyszkolonych i usłużnych afrykańskich pracowników w uniformach koloru khaki zajmował się turystami i doglądał słoni. Na gości czekały liczne namioty, przestronne jak hotelowe apartamenty, oraz kilka drewnianych konstrukcji, w których mieściły się wspólne pomieszczenia i kuchnie. Nad łóżkami zwieszały się białe moskitiery, meble wykonane były z bambusa, a za dywany służyły skóry zebr i antylop. W łazienkach znajdowały się latryny oraz pomysłowe prysznice z letnią wodą. Obóz posiadał generator prądu działający od godziny siódmej do dziesiątej wieczorem, później trzeba było używać świec i lamp naftowych. Posiłki przygotowywane przez dwóch kucharzy okazały się tak smakowite, że nawet Alexander, z reguły unikający dań, których nazwy nie potrafił przeliterować, zmiatał wszystko z talerza. Jednym słowem, obóz urządzony przez Michaela Mushahę wygodami bił na głowę większość miejsc, w jakich Kate musiała sypiać z racji swego zawodu podróżniczki i pisarki. Babcia stwierdziła, że fakt ten ujmuje uroku safari. Zamierzała o tym napomknąć w swoim artykule.

Pobudkę ogłaszano biciem w dzwon o godzinie 5.45 rano, co pozwalało gościom cieszyć się najbardziej rześką porą dnia. Ale wcześniej budził ich charakterystyczny szmer skrzydeł nietoperzy, stadnie powracających do swoich kryjówek po nocnych lotach. Zapach świeżo zaparzonej kawy rozchodził się już wtedy po całym obozie. Uczestnicy safari otwierali namioty i wychodzili rozprostować kości, a w tym czasie wschodziło niezrównane słońce Afryki, ogromny ognisty dysk przesłaniający horyzont. Krajobraz połyskiwał w świetle poranka, wydawało się, że spowita w czerwonawą mgiełkę ziemia zacznie się lada chwila zamazywać, by po chwili zniknąć jak fatamorgana.

Niebawem obóz zaczynał tętnić życiem, kucharze wzywali do stołu, a Michael Mushaha wydawał pierwsze polecenia. Po śniadaniu wygłaszał krótki wykład na temat zwierząt, ptactwa i flory, z jakimi turyści mieli się zetknąć danego dnia. Timothy Bruce i Joel González przygotowywali sprzęt fotograficzny, a pracownicy parku przyprowadzali słonie. Towarzyszyło im dwuletnie słoniątko, drepczące wesoło u boku matki; trzeba mu było wskazywać od czasu do czasu drogę, zostawało bowiem w tyle, uganiając się za motylami oraz taplając w kałużach i strumykach.

Z grzbietu słonia roztaczały się wspaniałe widoki. Te olbrzymie ssaki poruszały się niemal bezszelestnie, zlewając się z otoczeniem. Szły ociężale, a mimo to w krótkim czasie pokonywały bez wysiłku wiele kilometrów. Żaden z nich, z wyjątkiem malucha, nie przyszedł na świat w niewoli, były stworzeniami dzikimi, a co za tym idzie, nieprzewidywalnymi. Michael Mushaha nakazał gościom, by przestrzegali regulaminu, tłumacząc, że w przeciwnym razie nie ręczy za ich bezpieczeństwo. Nadia Santos, jako jedyna z całej grupy, niewiele sobie robiła z obozowych zakazów. Już pierwszego dnia zadzierzgnęła ze słoniami tak szczególne więzy przyjaźni, że dyrektor rezerwatu postanowił przymknąć oko na jej niesubordynację.

Przez cały ranek goście zwiedzali rezerwat. Porozumiewali się na migi, by nie płoszyć przebywających w pobliżu zwierząt. Karawanę prowadził Mushaha na najstarszym samcu, za nim podążali Kate i fotografowie na samicach, z których jedna była matką malucha, potem szedł Kobi z Alexandrem, Nadią i jej małpką. Na końcu jechało dwóch pracowników parku na młodych samcach, wioząc prowiant, zwijane daszki przydatne podczas sjesty oraz część sprzętu fotograficznego. Mieli również w zanadrzu broń naładowaną silnym środkiem usypiającym, na wypadek gdyby natknęli się na jakieś wrogo nastawione zwierzę.

Słonie lubiły skubać liście z drzew, pod którymi chwilę wcześniej wylegiwała się lwia rodzina. Innym razem przechodziły tak blisko nosorożców, że Alexander i Nadia widzieli własne odbicie w okrągłym oku wodzącym za nimi nieufnie z dołu. Stada bawołów oraz impali nie okazywały zaniepokojenia na widok karawany, być może wyczuwały człowieka, ale dezorientowała je przytłaczająca obecność słoni. Dzięki temu mieli okazję przyjrzeć się płochliwym zebrom, sfotografować z bliska watahę hien walczących o resztki antylopy oraz pogłaskać szyję żyrafy, podczas gdy ta wlepiała w nich swoje oczy księżniczki i lizała ich po rękach.

– Za kilka lat w Afryce nie spotka się ani jednego dzikiego zwierzęcia na wolności, będzie je można oglądać tylko w parkach i rezerwatach – ubolewał Mushaha.

W południe chronili się pod drzewami, opróżniali koszyki z prowiantem, po czym wylegiwali się w cieniu do czwartej lub piątej. Zwierzęta również odpoczywały w porze sjesty, a wtedy rozległa, zamieniona w rezerwat równina zastygała pod lejącym się z nieba żarem. Michael Mushaha znał dobrze całą okolicę, potrafił kalkulować czas i odległość: gdy wielki dysk słońca poczynał zachodzić, zawsze byli o krok od obozowiska i widzieli z daleka dym. Niekiedy udawali się na nocne wyprawy, by podglądać zwierzęta gaszące pragnienie w rzece.

ROZDZIAŁ 2

Safari na słoniach

Banda sześciu mandryli doszczętnie splądrowała obóz. Pośród powywracanych namiotów walał się rozsypany ryż, tapioka i fasola oraz konserwy, z drzew zwisały poszarpane śpiwory, a na środku placu piętrzyły się połamane krzesła i stoły. Wydawało się, że przeszła tędy trąba powietrzna. Dowodzone przez najbardziej agresywnego samca małpy wykradły gary i patelnie i używając ich jak maczug, okładały się wzajemnie i atakowały każdego, kto próbował się do nich zbliżyć.

– Co je ugryzło? – wykrzyknął Michael Mushaha.

– Obawiam się, że sobie źdźiebko popiły... – wyjaśnił jeden z pracowników parku.

Małpy zawsze krążyły wokół obozowiska, wypatrując okazji, by ukraść jakiś smakowity kąsek. Nocami przetrząsały kubły na śmieci i rabowały zapasy, jeśli te nie zostały odpowiednio zabezpieczone. Nie były to sympatyczne stworzenia: obnażały kły i powarkiwały, choć czuły respekt przed ludźmi i trzymały się zwykle na rozsądną odległość. Ten atak był czymś niespotykanym.

Nie mogąc sobie poradzić z rozbestwionymi mandrylami, Mushaha nakazał użyć środka usypiającego, ale niełatwo było w nie trafić: biegały i skakały, jak gdyby wstąpiła w nie czarcia moc. W końcu jednak każda małpa otrzymała uspokajający zastrzyk i jedna po drugiej zaczęły walić się bezwładnie na ziemię. Alexander i Timothy Bruce pomagali uprzątnąć teren, brali małpy za kostki i nadgarstki i wynosili je dwieście metrów od obozu, gdzie chrapały sobie w najlepsze, dopóki lek nie przestał działać. Włochate, cuchnące cielska mandryli okazały się znacznie cięższe, niż można było oczekiwać po ich rozmiarach. Wszyscy, którzy brali udział w tej akcji, musieli wziąć prysznic, wyprać ubrania i posypać się środkiem owadobójczym, aby uwolnić się od pcheł.

Podczas gdy pracownicy rezerwatu starali się zapanować nad sytuacją, Michael Mushaha odkrył przyczynę całego zamieszania. Jeden z mandryli, korzystając z nieuwagi strażników, wślizgnął się do namiotu Kate i Nadii, gdzie pierwsza z nich trzymała swoje zapasy wódki. Małpy wyczuwały alkohol na odległość, nawet przez szczelnie zamknięte szkło. Mandryl porwał jedną butelkę i stłukłszy szyjkę, podzielił się zawartością z koleżkami. Po dwóch łykach małpy miały już porządnie w czubie, po trzecim rzuciły się na obozowisko jak zgraja piratów.

– Potrzebuję wódki do kojenia bólu w kościach – utyskiwała Kate, przypuszczając, że będzie musiała strzec tych kilku ocalałych butelek jak oka w głowie.

– Aspiryna nie wystarczy? – zasugerował Mushaha.

– Piguły to trucizna! Stosuję tylko produkty naturalne! – oburzyła się pisarka.

Gdy uporali się w końcu z małpami i doprowadzili obóz do porządku, ktoś zwrócił uwagę, że koszula Timothy'ego Bruce'a jest poplamiona krwią. Z właściwą sobie flegmą Anglik przyznał, że został pogryziony.

– Któryś z tych typków nie spał chyba zbyt twardo – stwierdził gwoli wyjaśnienia.

– Pozwoli pan, że rzucę okiem – powiedział Mushaha głosem nieznoszącym sprzeciwu.

Bruce uniósł lewą brew. Był to jedyny grymas znany jego niewzruszonej końskiej twarzy i służył do wyrażenia wszystkich trzech uczuć, jakich fotograf potrafił doświadczyć: zdziwienia, powątpiewania i niezadowolenia. Tym razem chodziło o to ostatnie

– Bruce nie znosił wszelkiego rodzaju zamieszania, ale Mushaha był nieprzejednany i fotograf, chcąc nie chcąc, musiał podwinąć rękaw. Rana po ugryzieniu już nie krwawiła, zaschnięte strupy zdradzały miejsca, gdzie małpie kły przebiły skórę, przedramię było jednak opuchnięte.

– Te małpy przenoszą choroby. Podam panu antybiotyk, ale powinien to obejrzeć lekarz – zawyrokował Mushaha.

Lewa brew Bruce'a uniosła się do połowy czoła – wokół tej sprawy robiono zdecydowanie zbyt wiele ceregieli.

Michael Mushaha skontaktował się przez radio z Angie Ninderera i przedstawił jej sytuację. Młoda pilotka wyjaśniła, że nie może latać nocą, ale przybędzie nazajutrz skoro świt i zabierze Bruce'a do Nairobi. Dyrektor safari uśmiechnął się pod nosem: dzięki niesfornemu mandrylowi będzie miał okazję zobaczyć niebawem Angie, którą darzył skrywanym uczuciem.

Pod wieczór Bruce dostał wysokiej gorączki i dreszczy. Mushaha nie wiedział, czy złożyć to na karb ugryzienia, czy raczej nagłego ataku malarii. Tak czy owak był zaniepokojony, ponieważ odpowiadał za zdrowie i bezpieczeństwo turystów.

Grupa masajskich nomadów, co jakiś czas przechodzących przez teren rezerwatu, dotarła po południu do obozu, gnając stado krów o olbrzymich rogach. Byli wysocy, szczupli, urodziwi i wyniośli, ich szyje i głowy zdobiły misterne wisiorki z koralików, ubrani byli w tkaniny zawiązane w pasie i mieli ze sobą dzidy. Uważali się za plemię wybrane, wierzyli, że Bóg oddał im we władanie całą ziemię i wszystko, co się na niej znajduje. Uprawniało ich to do przywłaszczania sobie cudzego bydła, co nie zjednywało im przyjaciół pośród innych ludów. Mushaha nie posiadał bydła, nie musiał się więc obawiać Masajów. Zawarł z nimi pakt: gdy przechodzili przez rezerwat, oferował im gościnę, w zamian za co oni mieli trzymać się z daleka od miejscowej zwierzyny.

Mushaha jak zwykle podjął ich kolacją i zaproponował, by spędzili tutaj noc. Nomadom nie odpowiadało towarzystwo turystów, ale przyjęli zaproszenie, ponieważ jedno z ich dzieci niedomagało. Czekali na znachorkę, która miała się pojawić w obozie. Była sławna w całej okolicy, przemierzała zawrotne odległości, by leczyć swoich klientów ziołami i siłą wiary. Członkowie plemienia nie korzystali z nowoczesnych środków łączności, a jednak w jakiś sposób dowiedzieli się, że przybędzie do rezerwatu właśnie tej nocy, i postanowili na nią zaczekać. O zachodzie słońca posłyszeli pobrzękiwanie dzwonków i amuletów znachorki.

Wyłoniła się z czerwonawego kurzu wieczoru wychudzona, bosa i wynędzniała. Miała na sobie jedynie krótką spódniczkę z kawałka szmaty, niosła ze sobą tykwy, worki pełne amuletów, leki oraz dwa magiczne kije zwieńczone piórami. Włosy, których nigdy nie obcinała, upięte były w długie zwoje pokryte czerwonym błotem. Wyglądała na starowinę, z kości zwisały jej zwiotczałe fałdy skóry, mimo to szła wyprostowana, a jej nogi i ramiona były mocne. Ceremonia uzdrawiania miała się odbyć w miejscu oddalonym o kilka metrów od obozu.

– Znachorka twierdzi, że ciałem dziecka zawładnął duch znieważonego przodka. Będzie go musiała rozpoznać i odesłać w zaświaty, gdzie jego miejsce – wyjaśnił Michael Mushaha.

Joel González wybuchnął śmiechem. Fakt, że coś podobnego może mieć miejsce w dwudziestym pierwszym wieku, wydawał mu się wyjątkowo zabawny.

– Nie ma się z czego śmiać. W osiemdziesięciu przypadkach na sto chory powraca do zdrowia – uświadomił go Mushaha.

Dodał, że widział kiedyś dwie osoby, które tarzały się po ziemi, gryząc, warcząc, szczekając i plując pianą. Ich rodzina twierdziła, że wstąpiły w nich hieny. Wyleczyła ich właśnie ta znachorka.

– My to nazywamy histerią – stwierdził Joel.

– Może pan to sobie nazywać, jak chce, ale fakt pozostaje faktem: wyzdrowieli dzięki odprawionemu rytuałowi. Wasza medycyna oparta na chemii i elektrowstrząsach może tylko marzyć o takich rezultatach – uśmiechnął się z przekąsem Mushaha.

– Na miłość boską, jest pan naukowcem wykształconym w Londynie. Proszę mi nie wmawiać, że...

– Przede wszystkim jestem Afrykańczykiem – przerwał mu przyrodnik. – Nasi lekarze zrozumieli, że zamiast naśmiewać się ze znachorów, powinni z nimi współpracować. Niekiedy magia okazuje się skuteczniejsza od metod przeflancowanych z zagranicy. Ludzie wierzą w czary, dlatego są one skuteczne. Sugestia czyni cuda. Proszę nie lekceważyć naszych czarowników.

Kate Cold przygotowała się do robienia notatek z przebiegu ceremonii, a Joel González, zawstydzony tym, że naśmiewał się ze znachorki, sięgnął po aparat, by uwiecznić rytuał na kliszy.

Rozciągnięto na ziemi płachtę i ułożono na niej nagie dziecko. Wokół zgromadziła się jego liczna rodzina. Staruszka poczęła uderzać jednym magicznym kijem o drugi i grzechotać tykwami, zataczając taneczne kręgi, oraz zaintonowała pieśń, którą natychmiast podchwycili członkowie plemienia. Po chwili znachorka wpadła w trans i poczęła dygotać i przewracać oczami, niebawem widać było tylko białka. Ciało dziecka zesztywniało, po czym wygięło się w pałąk, dotykając ziemi jedynie głową i piętami.

Nadia poczuła, że energia emanująca z rytuału przeszywa ją jak prąd i bez wahania, pod wpływem nieznanego wrażenia, przyłączyła się do śpiewu i frenetycznego tańca nomadów. Ceremonia uzdrawiania trwała wiele godzin. W tym czasie, jak wyjaśnił Mushaha, leciwa czarownica wyssała z dziecka złego ducha, pozwalając mu zagnieździć się w jej własnym ciele. Na koniec mały pacjent rozluźnił się i wybuchnął płaczem, co uznano za przejaw zdrowia. Matka wzięła dziecko w ramiona i poczęła je tulić i całować, wobec ogólnej radości zebranych.

Dwadzieścia minut później znachorka ocknęła się z transu i oświadczyła, że pacjent jest już zdrów i zacznie normalnie jeść, jego rodzicom natomiast nakazała trzydniowy post na przebłaganie wygnanego ducha. Za posiłek i zapłatę staruszka zgodziła się przyjąć jedynie tykwę wypełnioną mieszanką kwaśnego mleka i świeżej krwi, którą masajscy pasterze upuszczali krowom, robiąc im delikatne nacięcie na szyi. Następnie udała się na spoczynek, aby nabrać sił przed drugą częścią rytuału: teraz musiała wydobyć ducha, który znajdował się w jej ciele, i posłać go w zaświaty, gdzie jego miejsce. Wdzięczni Masajowie poszli spędzić noc nieco dalej od obozu.

– Jeśli metody tej dobrej kobiety są tak skuteczne, poprośmy, by pomogła Timothy'emu – zaproponował Alexander.

– To nie działa na niedowiarków – odpowiedział Mushaha. – Poza tym znachorka jest wyczerpana, musi podreperować siły, zanim zajmie się następnym pacjentem.

Tak więc angielski fotograf przez resztę nocy telepał się w gorączce na swoim posłaniu, podczas gdy mały Masaj pałaszował pod dachem z gwiazd pierwszy w tym tygodniu posiłek.

Angie Ninderera przybyła nazajutrz, tak jak obiecała dyrektorowi parku podczas rozmowy radiowej. Zobaczyli kołujący samolot i pojechali landrowerem w to miejsce, gdzie zwykła lądować. Joel González chciał towarzyszyć przyjacielowi w drodze do szpitala, ale Kate przypomniała mu, że ktoś musi robić zdjęcia do przygotowywanego artykułu.

Podczas gdy uzupełniano zapasy paliwa w awionetce oraz przygotowywano do drogi chorego i jego bagaż, Angie raczyła się w cieniu parasola filiżanką kawy i odpoczywała. Była wysoką, krzepką, tryskającą zdrowiem i humorem Afrykanką o skórze barwy kawy i w nieokreślonym wieku: mogła mieć równie dobrze dwadzieścia pięć jak czterdzieści lat. Jej wesoły charakter i krągłe, pulchne kształty uwodziły od pierwszego wejrzenia. Opowiedziała, że pochodzi z Botswany i nauczyła się pilotować samoloty na Kubie, gdzie przebywała na stypendium. Aby zostawić córce posag, jej ojciec tuż przez śmiercią sprzedał swoje ranczo razem z całym bydłem, ale ona, zamiast wydać się dobrze za mąż, zgodnie z jego życzeniem, kupiła sobie samolot. Angie była wolna jak ptak, nigdzie nie uwiła gniazda. Jej zawód zmuszał ją do ciągłych podróży: jednego dnia wiozła szczepionki do Zairu, następnego leciała z aktorami i resztą filmowej ekipy na równiny Serengeti, gdzie kręcono film przygodowy, innym razem z nieustraszonymi alpinistami na pokładzie zmierzała ku podnóżom legendarnego Kilimandżaro. Przechwalała się, że jest silna jak bawół, i aby tego dowieść, siłowała się na rękę z każdym mężczyzną, który odważył się przyjąć wyzwanie. Urodziła się ze znamieniem w kształcie gwiazdy na plecach, co według niej było gwarancją szczęścia. Dzięki tej gwieździe wyszła cało z niezliczonych opresji. Kiedyś o mały włos nie została ukamienowana przez rozwścieczony tłum w Sudanie; innym razem przez pięć dni błądziła po etiopskiej pustyni, zupełnie sama, pieszo, bez jedzenia, tylko z jedną butelką wody. Ale nic nie mogło się równać z ową przygodą, kiedy to musiała skakać ze spadochronem i wpadła do rzeki pełnej krokodyli.

– Wtedy jeszcze nie miałam mojej cessny caravan, która jest niezawodna – dodała czym prędzej, opowiedziawszy swoją przygodę klientom z „International Geographic".

– I jak się pani uratowała? – dopytywał się Alexander.

– Krokodyle zajęły się przeżuwaniem spadochronu, zdążyłam więc dopłynąć do brzegu i popędziłam przed siebie co sił w nogach. Tamtym razem miałam szczęście, ale prędzej czy później zginę w paszczy krokodyla. Jest mi to pisane.

– Skąd pani wie? – zapytała Nadia.

– Przepowiedziała mi to pewna wróżka. Powiadają, że Ma Bangesé nigdy się nie myli – odpowiedziała Angie.

– Ma Bangesé? Gruba jejmość przyjmująca interesantów na bazarze? – przerwał jej Alexander.

– Właśnie ona. Nie jest gruba, tylko dobrze zbudowana – poprawiła go Angie, nieco przewrażliwiona na punkcie tuszy.

Alexander i Nadia spojrzeli po sobie, zdumieni tym dziwnym zbiegiem okoliczności.

Pomimo swej tuszy i dość gwałtownego charakteru Angie była prawdziwą kokietką. Chodziła w kwiecistych sukniach, obwieszała się etniczną biżuterią, którą nabywała na targach rękodzielnictwa, i malowała usta jaskraworóżową szminką. Jej głowę zdobiła misterna fryzura złożona z dziesiątków warkoczyków poprzetykanych barwnymi koralikami. Lubiła powtarzać, że choć jej zawód jest zgubny dla rąk, nie pozwoli, by jej dłonie zamieniły się w graby mechanika. Miała długie, zawsze polakierowane paznokcie i wypielęgnowane ręce, wcierała w nie żółwie sadło, któremu przypisywała cudowne właściwości. Fakt, iż żółwie miały pełno zmarszczek, nie pomniejszał jej zaufania do tej metody.

– Znam wielu mężczyzn zakochanych w Angie – oznajmił Mushaha, zapominając dodać, że sam był jednym z nich.

Angie puściła do niego oko i wyjaśniła, że nigdy nie wyjdzie za mąż, bo ma złamane serce. Zakochała się jeden jedyny raz: w masajskim wojowniku, który miał pięć żon i dziewiętnaścioro dzieci.

– Był szczupłokościsty i miał oczy jak bursztyn – rozmarzyła się.

– I...? – zapytali razem Nadia i Alexander.

– Nie chciał się ze mną ożenić – zakończyła Angie, ciężko wzdychając.

– Co za gamoń! – zaśmiał się Michael Mushaha.

– Miałam wtedy dziesięć lat i ważyłam piętnaście kilo więcej niż on – wyjaśniła pilotka.

Dopiła kawę i poczęła gotować się do drogi. Przyjaciele pożegnali się z Timothym Bruce'em, który był tak osłabiony gorączką, że nie zdołał nawet unieść lewej brwi.

Ostatnie dni safari minęły im bardzo szybko, a wszystko dzięki kolejnym wspaniałym wycieczkom na słoniach. Podczas jednej z nich napotkali znajome masajskie plemię i przekonali się, że dziecko jest już zupełnie zdrowe. Jednocześnie dowiedzieli się przez radio, że Timothy Bruce wciąż przebywa w szpitalu, cierpiąc na malarię połączoną z opornym na działanie antybiotyków zakażeniem, które wdało się w ranę po ugryzieniu mandryla.

Angie Ninderera przyleciała po nich trzeciego dnia po południu i została na noc – mieli wyruszyć nazajutrz rano. Pilotka od razu odkryła w Kate Cold bratnią duszę: obie lubiły sobie popić – Angie wolała piwo, Kate wódkę – i zarówno jedna jak i druga miały w zanadrzu zapas mrożących krew w żyłach historii, którymi urzekały słuchaczy. Owej nocy, gdy zgromadzili się wokół ogniska, by delektować się pieczenią z antylopy i innymi smakołykami przyrządzonymi przez obozowych kucharzy, jedna przez drugą próbowały dojść do słowa i oczarować wszystkich swymi przygodami. Nawet Borobá przysłuchiwała się ich opowieściom z zainteresowaniem. Małpka dzieliła czas między ludzi – przywykła bowiem do ich towarzystwa – pilnowanie Kobiego oraz harce z trzema zaadoptowanymi przez Michaela Mushahę pigmejskimi szympansami.

– Są o jedną piątą mniejsze i znacznie łagodniejsze od zwykłych szympansów – wyjaśnił Mushaha. – W ich przypadku przywódcami stada są samice. Dzięki temu powodzi im się znacznie lepiej, zamiast rywalizować, współpracują ze sobą, cała społeczność najada się do syta i śpi spokojnie, maluchy natomiast mają zapewnioną opiekę; jednym słowem: żyć nie umierać. Inne małpy postępują inaczej – samce łączą się w szajki i trawią życie na bójkach.

– Ludzie powinni brać przykład z tych małych szympansów – westchnęła Kate.

– Te zwierzątka są do nas bardzo podobne: mamy wspólną sporą część materiału genetycznego, nawet ich czaszka jest podobna do naszej. Posiadamy zapewne wspólnego przodka – stwierdził Michael Mushaha.

– W takim razie istnieje cień nadziei, że pójdziemy ich śladem na drodze ewolucji – dodała Kate.

Angie paliła papierosy; uważała, że są one jedyną zachcianką, jakiej folguje. Wydawała się dumna z faktu, że jej samolot przesiąkł smrodem tytoniu. „Jeśli komuś nie odpowiada zapach papierosów, niech idzie na piechotę" – odpowiadała klientom, którzy kręcili nosem. Kate Cold, była palaczka, wodziła pożądliwym wzrokiem za dłonią nowej przyjaciółki. Rzuciła palenie ponad rok temu, ale chęć sięgnięcia po papierosa bynajmniej jej nie opuszczała, a teraz, kiedy śledziła wzrokiem unoszącą się i opadającą rękę Angie, zbierało się jej na płacz. Wyciągnęła z kieszeni nienabitą fajkę, którą zawsze miała przy sobie na wypadek takich krytycznych momentów, i poczęła przygryzać ją z rezygnacją. Musiała przyznać, że ataki gruźliczego kaszlu, do niedawna utrudniające jej oddychanie, ustały jak ręką odjął, chociaż przypisywała to działaniu herbaty z wódką i proszku od Walimai, amazońskiego szamana zaprzyjaźnionego z Nadią. Z kolei Alexander uważał, że ten cud zawdzięczała amuletowi ze skamieniałych odchodów smoka – podarkowi od króla Dila Bahadura z Zakazanego Królestwa. Był przeświadczony o magicznych właściwościach tego talizmanu. Kate nie wiedziała, co myśleć o swoim wnuku, zatwardziałym sceptyku, który zamienił się nagle w niepoprawnego fantastę. Przyjaźń z Nadią odmieniła go. Alex darzył skamielinę takim zaufaniem, że ukruszył z niej kilka gramów, zmełł je na proszek i rozpuściwszy w ryżowej nalewce, podał matce, aby uleczyć ją z choroby nowotworowej. Przez kilka miesięcy Lisa musiała nosić na szyi ten amulet, a obecnie wisiał on na piersi Alexandra, który nie rozstawał się z nim nawet pod prysznicem.

– Leczy złamane kości i różne choroby, Kate. Ponadto zmienia tor strzał, noży i kul – zapewniał ją wnuk.

– Na twoim miejscu nie wystawiałabym go na próbę – skwitowała oschle babcia. Pozwoliła jednak, aczkolwiek niechętnie, by chłopak natarł jej dekolt i plecy smoczymi odchodami, nie przestając jednak mruczeć pod nosem, że najwyraźniej zaczyna im obojgu szwankować pod sufitem.

Wszyscy uczestnicy wyprawy, zgromadzeni tamtej nocy wokół obozowego ogniska, żałowali, że muszą się już pożegnać z nowymi przyjaciółmi i tym rajskim zakątkiem, w którym spędzili niezapomniany tydzień.

– Z jednej strony to dobrze, że wyjeżdżamy. Stęskniłem się już za Timothym – próbował się pocieszać Joel González.

– Wyruszamy jutro około dziewiątej – zarządziła Angie, wlewając w siebie pół puszki piwa i zaciągając się papierosem.

– Wyglądasz na zmęczoną, Angie – zauważył Mushaha.

– Ostatnie dni były naprawdę ciężkie. Dostarczałam żywność na tereny położone po drugiej stronie granicy, gdzie panuje bardzo trudna sytuacja. To straszne patrzeć z bliska na głód – powiedziała pilotka.

– Tamte regiony zamieszkuje szlachetny i pracowity naród. Przedtem żył godnie, utrzymując się z rybołówstwa, łowiectwa i uprawy ziemi, ale kolonizacja, wojny i choroby wpędziły go w nędzę. Mogą już tylko liczyć na pomoc z zewnątrz. Połowa mieszkańców Afryki wegetuje poniżej granicy ubóstwa – tłumaczył Michael Mushaha.

– Co to oznacza? – zapytała Nadia.

– Że nie mają z czego żyć.

Tymi słowami przewodnik zakończył wieczorne posiedzenie, które przeciągnęło się do północy, i oznajmił, że najwyższa pora udać się na spoczynek. Godzinę później obóz pogrążył się w ciszy.

Jeden z pracowników parku pozostał jak zawsze na warcie, by czuwać nad bezpieczeństwem śpiących i podtrzymywać ogień, jednak niebawem i jego zmorzył sen. Podczas gdy cały obóz odpoczywał, wokół wrzało życie: pod majestatycznym, rozgwieżdżonym niebem wędrowały setki gatunków zwierząt, które wyruszały właśnie na poszukiwanie jedzenia i wody. Afrykańska noc rozbrzmiewała jedynym w swoim rodzaju koncertem na wiele głosów – przeplatały się w nim ryki słoni, dochodzące z oddali zawodzenia hien, wrzaski mandryli wypłoszonych przez lamparta, rechot ropuch i cykanie świerszczy.

Kate ocknęła się ze snu tuż przed świtem, przestraszona, wydało jej się bowiem, że słyszała w pobliżu hałas. Przyśniło mi się – mruknęła, obracając się na drugi bok. Zastanawiała się, jak długo spała. Łamało ją w kościach, bolały ją mięśnie i chwytały skurcze. Ciążyło jej w pełni przeżyte sześćdziesiąt siedem lat, cała była poobijana od ciągłych podróży. Nie nadaję się już do takiego życia, jestem za stara, pomyślała pisarka, ale natychmiast się opamiętała, przekonana, że tylko takie życie jest coś warte. Bardziej męczyła ją nocna bezczynność niż dzienne zajęcia – pod namiotem godziny dłużyły się jej niemiłosiernie. Nagle ponownie usłyszała te same odgłosy, które wyrwały ją ze snu. Nie mogła ich jednoznacznie określić – przypominały chrobot lub drapanie.

Resztki sennych oparów rozwiały się i Kate uniosła się na posłaniu, czując suchość w gardle i oszalałe bicie serca. Nie było już wątpliwości: coś się tam ruszało, tuż obok, po drugiej stronie tkaniny, z której uszyty był namiot. Bardzo ostrożnie, starając się nie hałasować, zaczęła szukać po omacku latarki, którą trzymała zawsze pod ręką. Gdy ją w końcu odnalazła, zdała sobie sprawę, że poci się ze strachu: jej wilgotne palce raz po raz ześlizgiwały się z przycisku. Miała właśnie ponowić próbę, gdy doszedł ją szept dzielącej z nią namiot Nadii:

– Ćśśś, nie zapalaj światła, Kate.

– Co się dzieje?

– To lwy, nie płosz ich – odparła Nadia.

Latarka wypadła pisarce z ręki. Poczuła, że jej kości stają się miękkie jak budyń. Krzyk utknął jej w gardle. Wystarczy jedno machnięcie lwiej łapy, by rozerwać cienką nylonową tkaninę, a wtedy dziki kot rzuciłby się na nie. Nie byłyby pierwszymi turystkami ginącymi w taki sposób na safari. Podczas wycieczek po rezerwacie podjeżdżali tak blisko lwów, że Kate miała okazję policzyć im wszystkie zęby; doszła do wniosku, że nie chciałaby poczuć ich na własnej skórze. Stanęli jej przed oczami pierwsi chrześcijanie rozszarpywani przez te bestie w rzymskim Koloseum. Zlana zimnym potem zaczęła przeczesywać podłogę w poszukiwaniu latarki, plącząc się w spowijającej łóżko moskitierze. Znowu usłyszała pomruki dużego kota i kolejne drapanie.

Tym razem namiot zatrząsł się, jak gdyby runęło na niego drzewo. Kate, ledwo żywa ze strachu, zdała sobie sprawę, że Nadia również wydaje kocie odgłosy. Nareszcie znalazła latarkę, a jej drżące wilgotne palce zdołały ją zapalić. Zobaczyła Nadię siedzącą w kucki, z twarzą przytkniętą do tkaniny namiotu, całkowicie pochłoniętą wymianą pomruków z dziką bestią znajdującą się po drugiej stronie. Krzyk uwięziony w gardle Kate wydostał się na zewnątrz jako przerażający wrzask, a przestraszona tym Nadia odskoczyła do tyłu. Łapa – nie lwa, ale Kate – wbiła się w ramię dziewczyny i poczęła ciągnąć ją ku sobie. Nowe krzyki, połączone tym razem z mrożącymi krew w żyłach rykami lwów, ostatecznie zburzyły spokój obozu.

Kilka sekund później nie tylko pracownicy parku, ale i goście byli już na zewnątrz pomimo wyraźnych zaleceń Michaela Mushahy, który po tysiąckroć przestrzegał ich przed opuszczaniem namiotu nocą. Kate szamotała się z wierzgającą, starającą się uwolnić z jej ucisku Nadią. Podczas ich szarpaniny zawaliło się pół namiotu, a jedna z moskitier odczepiła się i spadła wprost na nie: wyglądały jak dwie poczwarki próbujące wydostać się z kokonu. Alexander, który pojawił się pierwszy, podbiegł ku nim i pomógł im się wyplątać. Gdy wyswobodził Nadię, ta odepchnęła go, zła, że w tak brutalny sposób przerwano jej pogawędkę z lwami.

Tymczasem Mushaha wystrzelił w powietrze i ryki drapieżników oddaliły się. Pracownicy parku zapalili latarnie, wzięli broń i udali się na zwiady. Popłoch ogarnął stado słoni i ich opiekunowie próbowali je uspokoić, bojąc się, że przewrócą ogrodzenie i stratują obozowisko. Trzy pigmejskie szympansy, wyczuwszy lwy, wpadły w panikę i piszcząc, skakały, na kogo popadnie. Z kolei Borobá wdrapała się na głowę Alexandrowi, który bezskutecznie starał się od niej uwolnić, ciągnąc ją za ogon. Nikt nie znał przyczyny tego całego zamieszania.

Nadbiegł przerażony Joel González, wykrzykując:

– Żmije! Pytony!

– Raczej lwy – poprawiła go Kate.

Zdezorientowany Joel stanął jak wryty.

– Nie węże? – zawahał się.

– Nie węże, tylko lwy! – powtórzyła Kate.

– To dlaczego mnie budzicie? – zżymał się fotograf.

– Na Boga, czy nie powinien pan się nieco ubrać? – zachichotała Angie Ninderera, która pojawiła się w piżamie.

Dopiero wtedy Joel González zdał sobie sprawę, że jest goły jak święty turecki, i umknął do namiotu, zakrywając się rękami.

Chwilę potem nadszedł Michael Mushaha z wiadomością, że w okolicy jest pełno lwich śladów i że namiot Kate i Nadii został rozdarty.

– Pierwszy raz zdarza nam się coś podobnego. Do tej pory zwierzęta te nigdy nie atakowały obozu – zauważył z niepokojem.

– To nie był żaden atak – weszła mu w słowo Nadia.

– Ależ skąd! Przyszły na herbatkę – oburzyła się Kate.

– Chciały się tylko przywitać! Gdybyś nie podniosła rabanu, dalej byśmy sobie gawędzili.

Dziewczyna odwróciła się na pięcie i uciekła do namiotu, do którego musiała się wczołgać, ponieważ dwa jego rogi leżały na ziemi.

– Nie zwracajcie na nią uwagi, po prostu dorasta. Przejdzie jej, jak wszystkim – zauważył Joel González, który zjawił się ponownie, tym razem owinięty w ręcznik.

Zaczęli komentować zdarzenie i nikt już nie myślał o spaniu. Rozdmuchali ogniska i pozostawili zapalone latarnie. Borobá i trzy pigmejskie szympansy, ciągle półżywe ze strachu, ulokowały się możliwie jak najdalej od namiotu Nadii, gdzie czuć było jeszcze zapach lwów. Niebawem dał się słyszeć zwiastujący świt szmer nietoperzych skrzydeł, a wtedy kucharze zajęli się śniadaniem, przystępując do parzenia kawy oraz smażenia jajek na bekonie.

– Nigdy jeszcze nie widziałem cię w takim stanie, babciu. Z wiekiem zaczynają ci puszczać nerwy – powiedział Alexander, podając Kate pierwszą filiżankę kawy.

– Nie nazywaj mnie babcią, Alexandrze.

– A ty nie nazywaj mnie Alexandrem. Mam na imię Jaguar, przynajmniej dla rodziny i przyjaciół.

– Trele-morele… Daj mi spokój, smarkaczu! – odcięła się Kate, parząc sobie wargi pierwszym haustem parującej kawy.

ROZDZIAŁ 3

Misjonarz

Pracownicy parku zapakowali bagaże do landrowerów i udali się do samolotu Angie, czekającego na otwartym terenie, kilka kilometrów od obozu. Dla gości była to ostatnia przejażdżka na słoniu. Dumny Kobi, który cały tydzień służył Nadii grzbietem, przeczuwał, że nadeszła pora pożegnania, i był wyraźnie osowiały, podobnie jak cała ekipa „International Geographic". Nawet Borobá miała markotną minę, musiała bowiem rozstać się z trzema szympansami, z którymi bardzo się zaprzyjaźniła. Po raz pierwszy w życiu musiała przyznać, że istnieją małpy niemal tak łebskie jak ona.

Nietrudno było zauważyć, że cessna caravan ma za sobą wiele lat służby i tysiące wylatanych kilometrów. Na boku widniało jej butne imię: Supersokół. Angie domalowała maszynie głowę, oczy, dziób i szpony drapieżnego ptaka, ale z czasem farba zaczęła odłazić i teraz, w oślepiającym blasku poranka, samolot przypominał raczej żałosną, podskubaną kurę. Turyści wzdrygnęli się na myśl o czekającym ich locie. Tylko Nadia zachowała spokój: w porównaniu z wiekową, zapyziałą awionetką, którą jej ojciec przemierzał Amazonię, Supersokół Angie wydawał się cudem techniki. Ta sama banda rozwydrzonych mandryli, która dobrała się do wódki Kate, siedziała teraz na skrzydłach samolotu. Małpy pochłonięte były całkowicie grupowym wyszukiwaniem pcheł, co upodabniało je do ludzi. W wielu miejscach świata Kate miała okazję oglądać ten sam czuły obrządek iskania, który łączył członków rodziny i zacieśniał przyjacielskie więzy. Niekiedy dzieci ustawiały się jedno za drugim, od najmniejszego do największego i wzajemnie przeszukiwały sobie czupryny. Kate uśmiechnęła się na myśl, że w Stanach samo słowo „wesz" wywoływało dreszcz grozy. Angie zaczęła rzucać w małpy kamieniami, odsądzając je od czci i wiary, ale one potraktowały ją z pogardliwą wyniosłością i nawet nie drgnęły, dopóki cielska słoni nie wyrosły tuż nad nimi.

Michael Mushaha wręczył Angie ampułkę ze środkiem usypiającym dla zwierząt.

– To ostatnia, jaka mi została. Mogłabyś przy najbliższej okazji przywieźć mi nowy zapas? – poprosił.

– Nie ma sprawy.

– Zabierz tę jako wzór. Istnieje wiele podobnych i możesz mieć problem z wyborem. Chodzi mi dokładnie o ten środek.

– Spokojna głowa – rzuciła Angie, chowając ampułkę do pokładowej apteczki.

Gdy skończyli upychać tobołki w samolocie, z pobliskich krzaków wyszedł mężczyzna, którego nikt dotychczas nie zauważył. Ubrany był w dżinsy, wysłużone buty do kolan i niemiłosiernie brudną bawełnianą koszulę. Na głowie miał płócienny kapelusz, a na ramionach plecak, z którego zwisały czarny od sadzy gar oraz maczeta. Był niski, chudy, kościsty i łysy, nosił okulary o bardzo grubych szkłach. Jego ciemne, rzadkie brwi odcinały się od bladej skóry.

– Dzień dobry – powiedział po hiszpańsku, po czym natychmiast przetłumaczył pozdrowienie na angielski i francuski. – Nazywam się brat Fernando, jestem katolickim misjonarzem – przedstawił się, podając rękę najpierw Michaelowi Mushasie, a następnie wszystkim pozostałym.

– Jak ksiądz tu trafił? – zapytał dyrektor rezerwatu.

– Kawałek podjechałem autostopem, resztę drogi przebyłem pieszo.

– Pieszo? Skąd? Tu nie ma żadnej osady w promieniu wielu kilometrów.

– Ścieżki są kręte, ale wszystkie prowadzą do Pana – odparł misjonarz.

Wyjaśnił, że jest Hiszpanem urodzonym w Galicii, ale od wielu lat nie odwiedza rodzinnych stron. Zaraz po ukończeniu seminarium został wysłany do Afryki, gdzie od ponad trzydziestu lat niesie posługę duchową w różnych krajach. Do niedawna, razem z innymi braćmi oraz trzema zakonnicami pracował w małym ośrodku misyjnym w pewnej ruandyjskiej wiosce, położonej na terenach, przez które przetoczyła się najokrutniejsza wojna, jaka kiedykolwiek nawiedziła Afrykę. Rzesze uchodźców przemierzały kraj, nadaremnie próbując ratować się przed barbarzyństwem; pokryta popiołem i nasiąkła krwią ziemia od lat leżała odłogiem, ci, którzy nie zginęli od kul lub noży, umierali z głodu i od chorób; po tamtejszych piekielnych drogach błąkały się wychudłe wdowy i sieroty, nierzadko ranne lub okaleczone.

– Śmierć urządza tam swój karnawał – zakończył misjonarz.

– Widziałam to na własne oczy. Zginęło już ponad milion ludzi i ciągle nie widać końca tej rzezi. Jednak resztę świata niewiele to obchodzi – wtrąciła Angie.

– To tutaj, w Afryce, narodziło się życie. Wszyscy wywodzimy się od Adama i Ewy, którzy, jak twierdzą naukowcy, byli Afrykańczykami. Ta ziemia to raj, o którym wspomina Biblia. Bóg stworzył ogród, gdzie wszystkie istoty miały żyć w zgodzie i dostatku, ale spójrzcie tylko, w co przemieniła go ludzka nienawiść i głupota... – dodał misjonarz tonem kaznodziei.

– Ksiądz opuścił Ruandę, uciekając przed wojną? – zapytała Kate.

– Kiedy rebelianckie oddziały spaliły naszą szkołę, otrzymaliśmy polecenie opuszczenia misji. Nie jestem jednak uchodźcą. Znalazłem się tutaj, bo mam zadanie do wypełnienia: muszę odnaleźć dwóch misjonarzy, którzy zaginęli.

– W Ruandzie? – zapytał Mushaha.

– Nie, ostatnio przebywali w wiosce o nazwie Ngoubé. Proszę spojrzeć...

Przybysz wydobył mapę i rozłożywszy ją na ziemi, wskazał miejsce, gdzie zaginęli jego towarzysze. Pozostali otoczyli go zwartym kołem.

– To najbardziej niedostępny, gorący i niebezpieczny zakątek Afryki równikowej. Nie dotarła tu cywilizacja, a jedynym środkiem transportu jest wyciosana z pnia drzewa łódka, nie istnieją połączenia telefoniczne ani radiowe – wyjaśnił misjonarz.

– W takim razie w jaki sposób kontaktowano się z misjonarzami? – zapytał Alexander.

– Listy idą co prawda miesiącami, ale braciom udawało się od czasu do czasu przesłać nam wiadomości. Życie jest tam ciężkie i niebezpieczne. Okolicą rządzi niejaki Maurice Mbembelé, psychopata, szaleniec i zwyrodnialec, którego podejrzewa się nawet o ludożerstwo. Od wielu miesięcy nie mamy żadnych wieści o naszych braciach. Jesteśmy bardzo zaniepokojeni.

Alexander przyjrzał się rozłożonej na ziemi mapie. Ten kawałek papieru nawet w części nie oddawał ogromu kontynentu, gdzie żyje sześćset milionów ludzi w czterdziestu pięciu krajach. Podczas tygodniowego safari z Michaelem Mushahą wiele się nauczył, ale i tak czuł się zagubiony wobec różnorodności tego kontynentu o tylu odmiennych strefach klimatycznych, krajobrazach, kulturach, religiach, rasach i językach. Miejsce, na którym zatrzymał się palec misjonarza, niewiele mu mówiło, wiedział jedynie, że Ngoubé nie leży w Kenii.

– Muszę się tam dostać – powiedział brat Fernando.

– Tylko jak? – zapytała Angie.

– Pani jest zapewne Angie Ninderera, właścicielką tego samolotu. Wiele o pani słyszałem. Podobno może pani dolecieć dosłownie wszędzie…

– Hola, dobry człowieku! Chyba ksiądz nie myśli, że go tam zabiorę? – wykrzyknęła pilotka, podnosząc ręce w obronnym geście.

– Dlaczego nie? Chodzi o wyjątkowy przypadek.

– Po pierwsze, dlatego że miejsce, gdzie się ksiądz wybiera, porastają podmokłe lasy, a tam nie da się wylądować. Po drugie, nikt przy zdrowych zmysłach nie zapuszcza się w tamte strony. Po trzecie, czasopismo „International Geographic" wynajęło mnie, bym dostarczyła tych dziennikarzy, całych i zdrowych, do stolicy. Po czwarte, mam ciekawsze rzeczy do roboty. A po piąte, nie sądzę, by mógł mi ksiądz zapłacić za lot – odparowała Angie.

– Bóg pani zapłaci, proszę mi wierzyć – zapewnił ją misjonarz.

– Oj, coś mi się wydaje, że księdza Bóg narobił już zbyt wiele długów.

Podczas gdy oni toczyli ten słowny pojedynek, Alexander ujął swoją babcię pod ramię i odciągnął ją na stronę.

– Kate, musimy pomóc temu człowiekowi – szepnął.

– Co masz na myśli, Alexan... Jaguarze?

– Poprośmy Angie, by zawiozła nas do Ngoubé.

– A kto za to zapłaci? – zapytała Kate.

– „International Geographic". Pomyśl tylko o reportażu, jaki będziesz mogła napisać, gdy odnajdziemy zaginionych misjonarzy.

– A jeśli ich nie odnajdziemy?

– Wszystko jedno, i tak będzie to znakomity temat na artykuł. Taka okazja może się już nie powtórzyć – podpuszczał ją Alexander.

– Muszę się naradzić z Joelem – odparła Kate, a w jej oczach zamigotały iskierki entuzjazmu, które jej wnuk z miejsca rozpoznał.

Joel González nie miał nic przeciwko nowej wyprawie, tym bardziej że nie mógł wrócić do Londynu, gdzie mieszkał, dopóki Timothy Bruce przebywał w szpitalu.

– Czy tam są węże, Kate?

– Więcej niż gdziekolwiek indziej, Joelu.

– Ale są i goryle. Może uda ci się sfotografować je z bliska. Miałbyś idealny materiał na okładkę „International Geographic" – kusił go Alexander.

– W takim razie lecę z wami! – zdecydował Joel.

Przekonali Angie plikiem banknotów, które Kate podsunęła jej pod nos, oraz obietnicą nadzwyczaj trudnego lotu. Obietnicą, której ta kochająca wyzwania pilotka nie mogła się oprzeć. Zgarnęła pieniądze, zapaliła pierwszego w tym dniu papierosa i nakazała wrzucić bagaże do kabiny, a sama zajęła się mechaniką, chcąc się upewnić, że Supersokół będzie im służył bez zarzutu.

– Czy ta maszyna jest aby bezpieczna? – zapytał Joel González, dla którego największym utrapieniem jego profesji były gady, a zaraz po nich podróże awionetkami.

W odpowiedzi Angie splunęła mu pod nogi śliną czarną od tytoniu. Alex szturchnął Joela porozumiewawczo: on też nie miał dużego zaufania do tego środka transportu, zwłaszcza że za jej sterami zasiadała ekscentryczna kobieta ze skrzynką piwa pod nogami i zapalonym papierosem w ustach tuż obok zapasowych kanistrów z benzyną.

Dwadzieścia minut później bagaże były już w cessnie, a pasażerowie na swoich miejscach. Nie dla wszystkich starczyło siedzeń, Alex i Nadia musieli się umościć na tobołkach w tylnej części awionetki. Fotele nie były zaopatrzone w pasy bezpieczeństwa, Angie uważała bowiem, że to czyste zawracanie głowy.

– W razie wypadku pasy służą tylko do tego, by utrzymać w kupie trupy pasażerów – stwierdziła.

Zapuściła silniki i uśmiechnęła się z wielką tkliwością, jaką odgłos ten zawsze w niej wzbudzał. Samolot otrząsnął się jak mokry kundel, odkaszlnął i zaczął sunąć po prowizorycznym pasie startowym. Gdy koła maszyny oderwały się od ziemi i jej ukochany sokół wzbił się w powietrze, Angie wydała triumfalny okrzyk godny Komancza.

– W imię Ojca i Syna... – wymamrotał misjonarz, żegnając się, a Joel González poszedł za jego przykładem.

Roztaczający się z góry widok stanowił maleńką próbkę różnorodności i piękna afrykańskiego krajobrazu. Pozostawili w tyle rezerwat przyrody, w którym spędzili ostatni tydzień: rozległe, czerwonawe, spalone słońcem równiny poprzetykane tu i ówdzie drzewami oraz sylwetkami dzikich zwierząt. Przelatywali nad suchymi pustyniami, lasami, górami, jeziorami, rzekami i wioskami położonymi bardzo daleko od siebie. W miarę jak posuwali się ku horyzontowi, cofali się w czasie.

Ryk silników skutecznie utrudniał rozmowę, ale Alexander i Nadia uparcie starali się je przekrzyczeć. Brat Fernando w ten sam sposób odpowiadał na ich niekończące się pytania. Powiedział, że kierują się ku lasom w okolicach równika. Nieliczni nieustraszeni dziewiętnastowieczni podróżnicy, a w wieku dwudziestym francuscy i belgijscy osadnicy zapuścili się w głąb tego zielonego piekła, ale śmiertelność okazała się tak wysoka – z dziesięciu ośmiu ginęło od febry albo padało ofiarą morderstwa lub nieszczęśliwego wypadku – że zmuszeni byli się wycofać. Po ogłoszeniu niepodległości, gdy zagraniczni koloniści opuścili kraj, następujące po sobie rządy sięgnęły swymi mackami do najdalej położonych osad. Zaczęto budować drogi, przysyłano wojsko, nauczycieli, lekarzy i urzędników, ale dżungla i straszliwe choroby wstrzymywały postęp cywilizacji. Tylko misjonarzom, gotowym szerzyć chrześcijaństwo za każdą cenę, udało się na trwałe zapuścić korzenie w tym piekle.

– Na kilometr kwadratowy nie przypada tu nawet jeden mieszkaniec. Cała ludność skupia się wokół rzek, reszta to pustkowie – wyjaśnił brat Fernando. Nikt nie zapuszcza się na bagna. Tubylcy twierdzą, że żyją tam duchy zmarłych i można jeszcze napotkać dinozaury.

– To fascynujące! – zawołał Alexander.

Opis misjonarza przypominał mityczną Afrykę, która stanęła Aleksowi przed oczami, gdy jego babcia powiadomiła go o wyprawie. Rozczarował się, kiedy przybyli do Nairobi i zobaczył nowoczesne miasto pełne wieżowców i korków na ulicach. Najbliżsi jego wyobrażeń afrykańskich wojowników okazali się jak na razie członkowie koczowniczego plemienia, które zawitało z chorym dzieckiem do obozu Mushahy. Nawet słonie na safari wydały mu się zbyt potulne. Gdy powiedział o tym Nadii, dziewczynka wzruszyła ramionami, nie pojmując, dlaczego jej przyjaciel czuł się zawiedziony. Ona nie oczekiwała niczego konkretnego. Alexander doszedł do wniosku, że Nadia nie zdziwiłaby się, nawet gdyby się okazało, że Afrykę zamieszkują ufoludki. Nigdy nie uprzedzała ona bowiem faktów. Być może właśnie tam, w miejscu, które wskazał im na mapie brat Fernando, znajdowała się magiczna Afryka wyśniona przez Alexandra.

Po wielu godzinach podróży, które upłynęły dość spokojnie, nie licząc doskwierającego pasażerom zmęczenia, pragnienia i powietrznej choroby, samolot obniżył lot i wszedł między delikatne chmurki. Pilotka wskazała na rozciągający się pod nimi bezkresny obszar zieleni przecięty krętą linią rzeki. Nigdzie nie było widać śladów ludzkiej obecności, ale nawet jeśli znajdowały się tam jakieś wioski, lecieli jeszcze zbyt wysoko, by je zauważyć.

– To tam, jestem pewien! – wykrzyknął nagle brat Fernando.

– A nie mówiłam? Nie ma gdzie wylądować! – odkrzyknęła mu Angie.

– Niech pani schodzi ku ziemi, Bóg o nas nie zapomni – zapewnił ją misjonarz.

– Oby! Zaczyna nam brakować benzyny!

Supersokół począł zataczać wielkie koła. W miarę jak zbliżali się do ziemi, pasażerowie mogli się przekonać, że rzeka w rzeczywistości jest znacznie szersza, niż im się wydawało, gdy spoglądali na nią z góry. Angie Ninderera wyjaśniła, że jeśli skierują się na południe, natrafią prawdopodobnie na osady, ale brat Fernando nalegał, by lecieli na północny zachód, ku terenom, na których znajdował się ośrodek misyjny założony przez jego towarzyszy. Pilotka zatoczyła jeszcze kilka kół, za każdym razem coraz niżej.

– Marnujemy tylko resztkę benzyny! Lecę na południe! – zadecydowała.

– Angie! Patrz! – krzyknęła nagle Kate.

Jak za dotknięciem czarodziejskiej różdżki ich oczom ukazał się skrawek plaży przytykający do rzeki.

– To bardzo wąski i krótki pas, Angie – ostrzegła Kate.

– Wystarczyłoby mi dwieście metrów, ale nawet tyle tu nie ma – rzuciła w odpowiedzi pilotka.

Zatoczyła jeszcze jedno koło tuż nad ziemią, by z bliska ocenić rozmiary plaży i ustawić samolot pod odpowiednim kątem.

– Nie pierwszy raz ląduję na mniej niż dwustu metrach! Trzymajcie się, zaczyna się galopada! – ogłosiła, wydając jeden ze swoich bojowych okrzyków.

Do tej pory Angie Ninderera pilotowała swoją awionetkę na luzie: z papierosem w dłoni i puszką piwa między kolanami. Teraz zachowanie jej uległo zmianie. Zgasiła papierosa w popielniczce przymocowanej do podłogi taśmą samoprzylepną, usadowiła bardziej stabilnie swoje puszyste ciało, chwyciła ster dwoma rękami i przystąpiła do lądowania, nie przestając przeklinać i wyć jak Komancz. Przywoływała w ten sposób szczęście, które, jak zapewniała, nigdy jej nie opuszczało, a wszystko dzięki talizmanowi, jaki nosiła na szyi. Kate Cold wtórowała Angie, chrypnąc od krzyku, sama już bowiem nie wiedziała, jak ukoić skołatane nerwy. Nadia Santos zamknęła oczy i pomyślała o swoim tacie. Alexander Cold otworzył oczy bardzo szeroko, przyzywając swego przyjaciela, lamę Tensinga, którego niezwykła siła umysłu mogła im się przydać w tym krytycznym momencie. Jednak Tensing był bardzo daleko. Brat Fernando i Joel González zaczęli odmawiać na głos modlitwy w języku hiszpańskim. Na końcu tego krótkiego pasa ziemi wznosiła się wysoka, zwarta ściana puszczy. Mogli podejść do lądowania jeden jedyny raz; jeśli to im się nie uda, roztrzaskają się o drzewa – brakowało miejsca, by ponownie oderwać się od ziemi.

Supersokół obniżył gwałtownie lot, ocierając się brzuchem o najwyższe gałęzie. Gdy tylko znalazł się nad zaimprowizowanym lotniskiem, Angie skierowała go na ziemię, modląc się, by okazała się zbita i wolna od skał. Samolot zaczął opadać, kolebiąc się jak ranne ptaszysko, a w jego wnętrzu zapanował chaos: tobołki jeździły w tę i we w tę, pasażerowie walili głową w sufit kabiny, puszki piwa turlały się po ziemi, tańczyły kanistry z benzyną. Angie, z dłońmi zaciśniętymi na sterach, zahamowała z całej siły, starając się utrzymać maszynę w równowadze. Obawiała się, że mogą się połamać skrzydła samolotu. Silniki wyły rozpaczliwie, kabinę wypełniał swąd palonej gumy. Maszyna chybotała się potężnie, pokonując ostatnie metry plaży w chmurze piasku i dymu.

– Drzewa! – krzyknęła Kate, gdy wyrosły tuż przed nimi.

Angie pozostawiła bez komentarza niezbyt odkrywczą uwagę klientki – ona też je widziała. Czuła strach połączony z fascynacją – te doznania towarzyszyły jej zawsze, gdy prowadziła grę o życie, były jak nagły zastrzyk adrenaliny, który przyprawiał ją o mrowienie i przyspieszone bicie serca. To rozkoszne przerażenie było tym, co najbardziej lubiła w swoim fachu. Jej mięśnie napięły się w straszliwym wysiłku, by zapanować nad maszyną, toczyła z samolotem walkę wręcz, jak kowboj ujeżdżający rozjuszonego byka. Nagle, gdy niespełna dwa metry dzieliły ich od drzew i pasażerowie myśleli, że wybiła ich ostatnia godzina, Supersokół przechylił się do przodu, zatrząsł się okrutnie i zarył dziobem w piasku.

– O kurczę! – krzyknęła Angie.

– Proszę się nie wyrażać – przytłumionym głosem skarcił ją brat Fernando z głębi kabiny. Misjonarz przebierał nogami, przywalony sprzętem fotograficznym. – Nie widzi pani, że Bóg o nas nie zapomniał i znalazł dla nas miejsce do lądowania?

– Niech mu ksiądz powie, by nam teraz znalazł dobrego mechanika, bo mamy kłopot – ryknęła w odpowiedzi Angie.

– Tylko bez paniki. Przede wszystkim powinniśmy ocenić szkody – zarządziła Kate Cold, przygotowując się do opuszczenia samolotu. Pozostali pasażerowie już się posuwali na czworakach ku wyjściu. Pierwsza wyskoczyła biedna Borobá, która chyba nigdy jeszcze nie była tak wystraszona. Alexander zauważył, że Nadia miała całą twarz we krwi.

– Orlico! – krzyknął, próbując uwolnić ją spod stosu tobołków, aparatów fotograficznych i wyrwanych z podłogi foteli.

Gdy znaleźli się na zewnątrz i zdołali rozeznać się w sytuacji, okazało się, że nikt nie został ranny, Nadia dostała tylko krwotoku z nosa. Najbardziej ucierpiał samolot.

– Tego się obawiałam: śmigło się wygięło – powiedziała Angie.

– To coś poważnego? – zapytał Alexander.

– W normalnych warunkach nie. Gdybym miała części zamienne, mogłabym sama się z tym uporać. Ale skąd ja tu wytrzasnę nowe śmigło?

Zanim brat Fernando zdążył otworzyć usta, Angie stanęła przed nim i ujęła się pod boki:

– Proszę mi tylko nie mówić, że księdza Bóg o nas nie zapomni, bo nie ręczę za siebie!

Misjonarz zachował rozważne milczenie.

– Gdzie my dokładnie jesteśmy? – spytała Kate.

– Pojęcia nie mam – przyznała Angie.

Brat Fernando zajrzał do mapy i doszedł do wniosku, że znajdowali się zapewne niedaleko od Ngoubé, osady, w której jego towarzysze założyli ośrodek misyjny.

– Otacza nas dżungla tropikalna i mokradła. Nie wydostaniemy się stąd bez łodzi – powiedziała Angie.

– W takim razie rozpalmy ognisko. Filiżanka herbaty i łyczek wódki dobrze nam zrobią – zaproponowała Kate.

ROZDZIAŁ 4

Sami w sercu dżungli

Przed zapadnięciem nocy członkowie wyprawy postanowili rozbić obozowisko w pobliżu drzew, gdzie byliby bezpieczniejsi.

– Czy w tych stronach występują pytony? – zastanawiał się Joel González, przywołując w pamięci śmiertelny niemal uścisk amazońskiej anakondy.

– Pytony to małe piwo: widać je z daleka i można wpakować im kulkę w łeb. Gorsze są żmije gabońskie i leśne kobry. Ich jad zabija w przeciągu kilku minut – powiedziała Angie.

– Wzięliśmy odtrutkę?

– Na te nie ma odtrutki. Jeśli o mnie chodzi, bardziej obawiam się krokodyli, te gadziny jedzą co popadnie – zauważyła pilotka.

– Ale żyją w rzece, prawda? – zapytał Alexander.

– Na lądzie też trzeba mieć się na baczności. Gdy zwierzęta podchodzą nocą do wodopoju, krokodyle chwytają je i wciągają do rzeki. Nie życzę nikomu takiej śmierci – stwierdziła Angie.

Pilotka miała rewolwer i strzelbę, choć nigdy nie miała okazji ich użyć. W związku z tym, że czekały ich teraz nocne warty, udzieliła im lekcji posługiwania się bronią palną. Oddali po kolei kilka strzałów i przekonali się, że arsenał Angie działał bez zarzutu, choć nikomu nie udało się trafić do celu nawet z najbliższej odległości. Brat Fernando odmówił udziału w ćwiczeniach, ponieważ, jak oświadczył, broń palna to diabelski wynalazek. Pamięć o tym, co przeżył w Ruandzie, była w nim wciąż żywa.

– To jest moja ochrona: szkaplerz – powiedział, pokazując wiszący na jego piersi skrawek tkaniny na sznurku.

– Co? – zapytała Kate, która słyszała to słowo po raz pierwszy.

– Święty przedmiot, pobłogosławiony przez papieża – wyjaśnił Joel González, wyjmując podobny zza pazuchy.

Kate, wychowanej w ascetyzmie Kościoła protestanckiego, katolickie rytuały wydawały się równie barwne jak ceremonie religijne afrykańskich plemion.

– Ja też noszę amulet, choć nie sądzę, by zdołał mnie uchronić od śmierci w paszczy krokodyla – rzekła Angie, pokazując skórzany woreczek.

– Proszę nie porównywać tego guślarskiego fetysza ze szkaplerzem! – oburzył się brat Fernando.

– A czym się one różnią? – spytał zaciekawiony Alexander.

– Jeden symbolizuje moc Chrystusa, drugi pogańskie zabobony.

– Nasze wierzenia są religią, wierzenia innych to zabobony – zauważyła Kate.

Nie przepuszczała żadnej okazji, by w obecności wnuka powtarzać tę złotą myśl, chciała mu bowiem wpoić szacunek dla innych kultur. Do jej ulubionych powiedzonek należały również: „my posługujemy się językiem, pozostali mówią dialektami" oraz „Biali tworzą sztukę, inne rasy parają się rzemiosłem". Alexander przytoczył kiedyś maksymy babci na lekcji socjologii, ale nikt nie dostrzegł zawartej w nich ironii.

Natychmiast rozpoczęła się ożywiona dyskusja na temat chrześcijaństwa i afrykańskiego animizmu. Wzięli w niej udział wszyscy z wyjątkiem Alexandra, który nosił na szyi swój własny amulet i dlatego wolał siedzieć cicho, oraz Nadii, która w towarzystwie swojej małpki z wielką uwagą przemierzała wzdłuż i wszerz małą plażę. Alexander przyłączył się do nich.

– Czego szukasz, Orlico? – zapytał.

Nadia schyliła się i podniosła z piasku kawałki sznurka.

– Jest ich tu pełno – powiedziała.

– Prawdopodobnie to jakaś odmiana lian.

– Nie sadzę. Wyglądają na uplecione ręcznie.
– Co to może być ?
– Nie wiem, ale najwyraźniej ktoś był tu niedawno i prawdopodobnie jeszcze wróci. Nie jesteśmy więc zupełnie sami, jak twierdzi Angie – wywnioskowała Nadia.
– Mam nadzieję, że nie mamy do czynienia z ludożercami.
– Byłby to wyjątkowy pech – powiedziała Nadia, przypominając sobie opowieść misjonarza o szaleńcu, który rządził w tej okolicy.
– Nie widać śladów ludzkich stóp – zauważył Alexander.
– Nie ma też śladów zwierząt. Teren jest miękki i deszcze wszystko zamazują.

Co jakiś czas nadciągała gwałtowna, przypominająca prysznic ulewa, która ustawała równie szybko, jak się zaczynała. Przez te deszcze chodzili ciągle przemoczeni, co jednak wcale nie działało orzeźwiająco, przeciwnie – w połączeniu z wilgocią upał okazywał się jeszcze bardziej nie do zniesienia. Rozstawili namiot Angie, w którym musiało się zmieścić pięcioro z nich, podczas gdy szósta osoba miała stać na warcie. Idąc za radą brata Fernanda, pozbierali zwierzęce ekskrementy na ognisko – jedyny sposób, by uwolnić się od uciążliwych moskitów i stłumić zapach człowieka, który mógł zwabić okoliczne drapieżniki. Misjonarz przestrzegł ich przed pluskwami, które składają jaja pod paznokciem. W rany wdawało się zakażenie i aby wydobyć larwy, trzeba było podważać paznokcie nożem, co przypominało chińskie tortury. Chcąc się przed tym uchronić, natarli sobie ręce i stopy benzyną. Misjonarz doradził im również, by nie zostawiali na wierzchu jedzenia, mogło ono bowiem ściągnąć mrówki, groźniejsze niekiedy od krokodyli. Inwazja termitów była czymś potwornym: tam gdzie się pojawiały, znikało życie, zostawała tylko goła ziemia. Alexander i Nadia słyszeli już o tym w Amazonii, ale okazało się, że mrówki afrykańskie były jeszcze bardziej żarłoczne. Wieczorem nadleciała chmara maleńkich pszczół, uciążliwych *mopani*, które, pomimo dymu z ogniska, wypełniły całe obozowisko, pokrywając ich od stóp do głów, włącznie z powiekami.

– Nie żądlą, spijają jedynie pot. Odganianie ich nic nie da, trzeba do nich przywyknąć – powiedział misjonarz.

– Patrzcie! – wykrzyknął Joel González, wskazując na rzekę.

Jej brzegiem sunął wiekowy żółw, którego skorupa miała ponad metr średnicy.

– Ma pewnie sto lat z górą – ocenił brat Fernando.

– Zupa żółwiowa to moja specjalność! – zawołała Angie, łapiąc za maczetę. – Trzeba poczekać, aż wysunie głowę, a wtedy…

– Chyba nie zamierza go pani zabić?! – przerwał jej Alexander.

– Sam pancerz wart jest majątek – powiedziała Angie.

– Na kolację mamy sardynki w puszce – przypomniała jej Nadia, również przeciwna skonsumowaniu żółwia.

– Dajmy mu lepiej spokój. Żółwie mięso ma intensywny zapach, może ściągnąć nam na głowę drapieżniki – poparł ich brat Fernando.

Stuletnie zwierzę oddaliło się w żółwim tempie, kierując się ku przeciwnemu krańcowi plaży, nieświadome, że o mały włos nie skończyło w garze.

Słońce zaczęło zachodzić, pobliskie drzewa rzucały coraz dłuższe cienie, upał nareszcie zelżał.

– Proszę nie zerkać w tę stronę, bracie Fernandzie, zamierzam wziąć kąpiel i nie chcę nikogo kusić – zachichotała Angie Ninderera.

– Radzę nie zbliżać się do rzeki. Nigdy nie wiadomo, co kryje się w wodzie – odparł oschle misjonarz, odwracając głowę.

Ale Angie zrzuciła już spodnie i bluzkę, a teraz biegła w samej bieliźnie ku rzece. Wykazała na tyle zdrowego rozsądku, że weszła do wody tylko po kolana, mając się na baczności, gotowa w każdej chwili umknąć przed niebezpieczeństwem. Nabierała wodę mosiężnym kubkiem, którego używała do kawy, i z wyraźną przyjemnością polewała sobie głowę. Reszta poszła zaraz w jej ślady, z wyjątkiem misjonarza, który odwróciwszy się plecami do rzeki, zabrał się do przygotowywania niewyszukanego posiłku z fasoli i sardynek w oleju, oraz małpki Nadii – Borobá, która nienawidziła wody.

Nadia pierwsza zauważyła hipopotamy. W półmroku wieczoru zlewały się z burą o tej porze wodą, nic więc dziwnego, że spostrzegli je dopiero, gdy znaleźli się tuż obok nich. Dwa dorosłe hipopotamy, nieco mniejsze od tych napotkanych w rezerwacie Michaela Mushahy, tkwiły w wodzie niewiele metrów od miejsca, gdzie kąpali się rozbitkowie. Dopiero potem dostrzegli malucha zerkającego na nich zza zwalistych zadów rodziców. Nie chcąc ich drażnić, wyszli po cichu z rzeki i wycofali się w stronę obozowiska. Towarzystwo ludzi nie obeszło najwyraźniej tych ociężałych zwierząt – przez dłuższy czas kąpały się najspokojniej w świecie, a potem, gdy zapadła noc, zniknęły w mroku. Ich skóra była podobna do słoniowej: gruba, popielata z głębokimi fałdami. Miały małe, zaokrąglone uszy i błyszczące, kawowo-mahoniowe oczy. Z ich szczęki zwisały dwa wory, chroniąc ogromne kwadratowe kły zdolne zmiażdżyć żelazną rurę.

– Żyją w parach i są wierniejsze niż większość ludzi. Za każdym razem mają tylko jedno młode, o które troszczą się przez wiele lat – wyjaśnił brat Fernando.

Po zachodzie słońca natychmiast zapadła noc i grupkę podróżników otoczył nieprzenikniony mrok lasu. Z maleńkiej plaży, na której wylądowali, mogli widzieć tylko księżyc. Samotność była absolutna. Mieli spać na zmianę, tak by ktoś stał zawsze na warcie i podtrzymywał ogień. Nadia, która jako najmłodsza zwolniona została z tego obowiązku, uparła się, by towarzyszyć Alexandrowi na jego zmianie. Nocą przewinęło się przez plażę wiele różnych zwierząt, które zbliżały się do wodopoju wyraźnie zdezorientowane z powodu dymu, ognia i zapachu ludzi. Te najbardziej płochliwe uciekały przestraszone, inne węszyły, wahając się, ale pragnienie okazywało się silniejsze i w końcu podchodziły. Brat Fernando, który przez trzydzieści lat badał afrykańską florę i faunę, radził schodzić im z drogi. Z reguły nie atakują ludzi, powiedział. Chyba że są głodne lub poczują się zagrożone.

– To teoria. W praktyce są nieprzewidywalne i mogą zaatakować w każdej chwili – polemizowała z nim Angie.

– Ogień nie pozwoli im się zbliżyć. Póki znajdujemy się na plaży, możemy spać spokojnie. W lesie czai się więcej niebezpieczeństw... – powiedział brat Fernando.

– Dlatego będziemy się trzymać z daleka od lasu – przerwała mu Angie.

– Zamierza pani spędzić na tej plaży resztę życia? – zapytał misjonarz.

– Nie wydostaniemy się stąd przez las. Jedyną drogą jest rzeka.

– Mamy ruszyć wpław? – nie dawał za wygraną brat Fernando.

– Możemy zbudować tratwę – podpowiedział Alexander.

– Przeczytałeś zbyt dużo powieści przygodowych, chłopcze – odparł misjonarz.

– Jutro podejmiemy decyzję, na razie chodźmy spać – zarządziła Kate.

Warta Alexandra i Nadii wypadła o trzeciej nad ranem. Para przyjaciół i Borobá mieli oglądać wschód słońca. Siedzieli oparci o siebie plecami, z bronią na kolanach i rozmawiali szeptem. Gdy byli daleko od siebie, utrzymywali ciągły kontakt, ale i tak, kiedy się spotykali, mieli sobie mnóstwo do powiedzenia. Przeczuwali, że serdeczna przyjaźń, która ich łączyła, towarzyszyć im będzie przez resztę życia. Wiedzieli bowiem, że prawdziwa przyjaźń potrafi się oprzeć upływowi czasu, jest szczodra i nie wymaga niczego w zamian, z wyjątkiem lojalności. Choć nigdy o tym nie rozmawiali, bronili tego subtelnego uczucia przed ludzkim wścibstwem. Nie afiszowali się ze swoim związkiem, nie wystawiali go na pokaz, cenili sobie dyskrecję i milczenie. Dzięki poczcie elektronicznej dzielili się marzeniami, myślami, przeżyciami i tajemnicami. Znali się tak dobrze, że nie musieli sobie wiele mówić, czasami jedno słowo wystarczało im, by się zrozumieć.

Kiedy mama pytała Alexandra, czy Nadia jest „jego dziewczyną", on zawsze, aż nazbyt energicznie, zaprzeczał. Nie była „jego dziewczyną" w banalnym znaczeniu tego określenia. Już samo pytanie raziło go. Jego związek z Nadią nie miał nic wspólnego z zadurzeniami, jakie spędzały sen z powiek jego rówieśnikom, ani z fantazjami, jakie on sam snuł na temat Cecilii Burns, szkolnej koleżanki, z którą już od pierwszej klasy planował się ożenić. Uczucie, jakie łączyło go z Nadią, było jedyne w swoim rodzaju, nietykalne, piękne. Wiedział, że tak intensywny i niewinny związek między dwiema dorastającymi osobami różnej płci jest czymś niespotykanym i dlatego o nim nie mówił – nikt by go nie zrozumiał.

Godzinę później gwiazdy zgasły jedna po drugiej i niebo poczęło się rozjaśniać, początkowo jako delikatna poświata, a potem jako wspaniały pożar, który zalał wszystko wokół pomarańczowawym blaskiem. Niezliczone gatunki wielobarwnych ptaków zasnuły niebo, budząc trelami członków wyprawy. Od razu zabrali się do roboty: jedni podsycali ogień i przygotowywali śniadanie, inni pomagali Angie odczepić śmigło, by spróbować je później naprawić.

Musieli się uzbroić w drągi, aby odpędzić małpy, które urządziły nalot na ich małe obozowisko, chcąc wykraść im jedzenie. Bitwa okazała się wyczerpująca. Małpy wycofały się w głąb plaży i nie spuszczały ich z oka, wyczekując na chwilę nieuwagi, by przystąpić do nowego ataku. Podróżników męczyły upał i wilgoć, ubrania przywarły im do ciała, mieli mokre włosy i rozgrzaną skórę. Z lasu napływał odurzający zapach rozkładającej się materii organicznej, który mieszał się z odorem ekskrementów, którymi palili w ognisku. Pragnienie ich nie opuszczało, musieli pilnie strzec ostatnich zapasów wody pitnej przechowywanych w samolocie. Brat Fernando zaproponował, by używali wody z rzeki, ale Kate powiedziała, że dostaną od niej tyfusu albo cholery.

– Możemy ją zagotować, ale nie ma mowy, by wystygła w takim upale. Będziemy musieli pić gorącą – powiedziała Angie.

– W takim razie zaparzmy herbatę – zaproponowała Kate.

Misjonarz zaczerpnął wody garnkiem, który nosił przytroczony do plecaka, po czym ją zagotował. Miała rdzawy kolor, metaliczny posmak oraz dziwny, słodkawy, nieco mdlący zapach.

Tylko Borobá urządzała krótkie wypady do lasu, reszta bała się zabłądzić w gąszczu. Nadia zauważyła, że małpka co chwila znika między drzewami, okazując zaciekawienie, które z czasem zaczęło się przeradzać w panikę. Przywołała Alexandra i razem ruszyli w ślad za małpką.

– Nie odchodźcie za daleko – ostrzegła ich Kate.

– Za chwilę wrócimy – odpowiedział jej wnuk.

Borobá bez chwili namysłu skoczyła w las. Podczas gdy ona tylko przeskakiwała z gałęzi na gałąź, Alexander i Nadia z trudem posuwali się do przodu, torując sobie drogę pośród gęstych paproci. Modlili się, by nie nadepnąć na żmiję ani nie spotkać się oko w oko z lampartem.

Zagłębiali się w gąszcz, nie tracąc z oczu małpki. Wydawało im się, że idą ledwie widoczną leśną ścieżką, być może nieuczęszczanym od dawna szlakiem – zupełnie już zarośniętym – którym zwierzęta podążały kiedyś do wodopoju. Owady obsiadły ich od stóp do głów. Nie mogąc się ich pozbyć, musieli w końcu pogodzić się z ich towarzystwem. Woleli nie myśleć o chorobach wywoływanych przez insekty: od malarii poczynając, a kończąc na śpiączce przenoszonej przez muchy tse-tse, których ofiary zapadały w głęboki letarg i umierały zagubione w labiryncie własnych koszmarów. Niekiedy musieli się przebijać przez wielkie pajęczyny, które zagradzały im drogę, to znowu zapadali się po kolana w lepkim błocie.

Nagle przez leśną wrzawę przebił się odgłos podobny do ludzkiego szlochu. Stanęli jak wryci. Borobá poczęła nerwowo podskakiwać, dając im znaki, by się nie zatrzymywali. Wszystko wyjaśniło się kilka metrów dalej. Idący przodem Alexander omal nie wpadł do dołu, który otworzył się pod jego nogami jak wykrot.

Szloch pochodził od leżącego na jego dnie czarnego stworzenia, podobnego na pierwszy rzut oka do wielkiego psa.

– Co to? – szepnął Alexander, cofając się.

Borobá poczęła piszczeć jeszcze bardziej, to coś w dole drgnęło i zobaczyli, że była to małpa omotana siecią, która uniemożliwiała jej jakiekolwiek ruchy. Zwierzę spojrzało w górę i na ich widok poczęło ryczeć i szczerzyć zęby.

– To goryl. Nie może się wydostać... – powiedziała Nadia.

– To mi wygląda na pułapkę.

– Musimy mu pomóc – rzuciła Nadia.

– Ale jak? Może nas zaatakować...

Nadia pochyliła się ku uwięzionemu zwierzęciu i zaczęła z nim rozmawiać, jakby to była Borobá.

– Co mu mówisz? – spytał Alexander.

– Nie wiem, czy mnie rozumie. Nie wszystkie małpy posługują się tym samym językiem, Jaguarze. Na safari potrafiłam się porozumieć z szympansami, ale z mandrylami mi się to nie udawało.

– Orlico, mandryle z rezerwatu były bandą hultai. Nawet gdyby cię rozumiały, nie dałyby tego po sobie poznać.

– Nie znam języka goryli, ale przypuszczam, że jest podobny do mowy innych małp.

– Powiedz mu, by się nie denerwował. Spróbujemy wyplątać go z sieci.

Po pewnym czasie Nadii udało się uspokoić schwytane w pułapkę zwierzę, ale gdy próbowali się zbliżyć, małpa znowu zaczynała szczerzyć kły i powarkiwać.

– Ma przy sobie małe! – zawołał Alexander.

Było maleńkie, nie mogło mieć więcej niż kilka tygodni. Tuliło się rozpaczliwie do gęstego futra matki.

– Chodźmy po pomoc. Trzeba będzie rozciąć sieć – zadecydowała Nadia.

Wrócili do obozowiska tak szybko, jak tylko puszcza pozwalała, i opowiedzieli pozostałym o swoim odkryciu.

– Może was zaatakować. Goryle są z reguły łagodne, ale samica z małym jest zawsze niebezpieczna – ostrzegł ich brat Fernando.

Ale Nadia zdążyła już chwycić nóż i ruszyła w stronę lasu, a za nią reszta grupy. Joel González nie posiadał się ze szczęścia: będzie miał jednak okazję sfotografować goryla. Brat Fernando szedł uzbrojony w maczetę i długi drąg, Angie niosła rewolwer oraz strzelbę. Borobá zaprowadziła ich prosto do pułapki, gdzie znajdowała się gorylica, która na widok tylu ludzkich twarzy wpadła w szał.

– Przydałby się nam teraz jeden z tych środków usypiających Michaela Mushahy – zauważyła Angie.

– Jest bardzo wystraszona. Spróbuję się do niej zbliżyć, a wy zaczekajcie z tyłu – zarządziła Nadia.

Cofnęli się kilka kroków i przykucnęli w paprociach, podczas gdy Nadia i Alexander zbliżali się do małpy centymetr po centymetrze, co chwilę przystając i odczekując. Nadia nie przerywała długiego monologu, którym pragnęła uspokoić nieszczęsne, schwytane w pułapkę stworzenie. Po jakimś czasie powarkiwanie ustało.

– Spójrz w górę, Jaguarze – syknęła Nadia do ucha swemu przyjacielowi.

Alexander podniósł wzrok i w koronie drzewa, na które wskazała Nadia, zobaczył obserwujący ich bacznie czarny, błyszczący pysk, o osadzonych blisko oczach i spłaszczonym nosie.

– Drugi goryl. Jeszcze większy! – również szeptem odpowiedział Alexander.

– Nie patrz mu w oczy, może to uznać za wyzwanie i się rozzłościć – poradziła mu Nadia.

Pozostali również zauważyli goryla, ale nie ruszali się z miejsca. Joela Gonzaleza świerzbiły ręce, by sięgnąć po aparat, ale Kate wybiła mu to z głowy piorunującym spojrzeniem. Okazja, by znaleźć się tak blisko tych olbrzymich małp, była wyjątkowo rzadka, nie mogli jej zaprzepaścić nierozsądnym ruchem. Pół godziny później nic się nie zmieniło: samiec tkwił nieruchomo na swojej zielonej ambonie, a samica uwięziona w sieci nie odzywała się. Jedynie przyspieszony oddech i sposób, w jaki gorylica tuliła swoje małe, zdradzały rozpacz zwierzęcia.

Nadia ruszyła na czworakach w stronę pułapki, obserwowana z dołu przez przerażoną samicę, z góry przez samca. Alexander sunął tuż za nią z nożem w zębach, czując się nieco komicznie, zupełnie jakby grał w filmie o Tarzanie. Gdy Nadia wyciągnęła rękę, by dotknąć uwięzionego zwierzęcia, gałęzie drzewa, na którym siedział drugi goryl, poruszyły się.

– Jeśli rzuci się na mojego wnuka, strzelaj bez zastanowienia – syknęła Kate w stronę Angie.

Ta nie odpowiedziała. Obawiała się, że nawet jeśli zwierzę znajdzie się metr od niej, nie zdoła w nie trafić – strzelba drżała jej w rękach.

Samica w dalszym ciągu nerwowo śledziła każdy ruch Alexandra i Nadii, ale wydawała się już nieco spokojniejsza, jakby rozumiała wyjaśnienia, powtarzane raz za razem przez Nadię, że to nie oni zastawili pułapkę.

– Nie bój się, nie bój się, wyciągniemy cię stąd – Nadia szeptała te słowa jak litanię.

Jej dłoń dotknęła w końcu czarnego futra samicy, która wzdrygnęła się i wyszczerzyła zęby. Nadia nie cofnęła ręki i zwierzę po chwili się uspokoiło. Na znak przyjaciółki Alexander zaczął czołgać się ostrożnie w jej stronę. Delikatnie, nie chcąc płoszyć zwierzęcia, począł również głaskać grzbiet gorylicy, dopóki nie przywykła do jego obecności. Wtedy wziął głęboki oddech, dodał sobie otuchy, pocierając amulet, który nosił na piersi, i chwycił nóż, gotując się do przecięcia sieci. Na widok metalowego ostrza gorylica skuliła się, chcąc własnym ciałem bronić małego. Głos Nadii docierał do niej z oddali, przenikał do jej przerażonego umysłu i koił, podczas gdy na grzbiecie czuła dotyk noża i napinającą się sieć. Przecinanie sznurów okazało się zajęciem bardziej pracochłonnym, niż można było oczekiwać, ale w końcu Alexandrowi udało się zrobić dostateczny otwór, by uwolnić więźnia. Dał znak przyjaciółce i oboje cofnęli się kilka kroków.

– Ruszaj! Możesz już wyjść! – nakazała gorylicy Nadia.

Brat Fernando podszedł do nich ostrożnie na czworakach i podsunął Alexandrowi swój kij. Chłopak trącił nim z lekka skulone w sieci zwierzę. Poskutkowało: gorylica uniosła głowę i węsząc, zaczęła się rozglądać. Dopiero po chwili, gdy zdała sobie sprawę, że może się ruszać, wyprostowała się, strząsając z siebie sieć. Alexander i Nadia zobaczyli, jak staje tuż przed nimi, z małym u piersi, i musieli zakryć usta, by nie krzyknąć z wrażenia. I nawet nie drgnęli. Gorylica, przyciskając jedną ręką do siebie swoje małe, pochyliła się i w skupieniu zaczęła im się przyglądać.

Alexander zadrżał, zdając sobie sprawę, jak niewielka odległość dzieliła go od zwierzęcia. Poczuł bijące od niego ciepło, a czarny, pomarszczony pysk pojawił się dziesięć centymetrów od jego oczu. Zamknął je szybko, zlany potem. Gdy je otworzył, zobaczył jak przez mgłę różowawą paszczękę pełną żółtych zębów – zaparowały mu okulary, ale nie miał odwagi ich zdjąć. Poczuł na twarzy oddech gorylicy – miał przyjemny zapach świeżo skoszonej trawy. Raptem ciekawska łapka gorylątka pociągnęła go za włosy. Alexander, nie posiadając się ze szczęścia, uniósł palec, a małpka złapała za niego, tak jak robią noworodki. Matka, niezadowolona z takiej poufałości, odepchnęła Alexandra, powalając go na ziemię, choć w geście tym nie było cienia wrogości. Chrząknęła z afektacją, jakby chciała mu zadać jakieś oczywiste pytanie, po czym dwoma susami dopadła drzewa, na którym siedział samiec. Po chwili oboje zniknęli w listowiu. Nadia pomogła Alexandrowi wstać.

– Widzieliście?! Dotknął mnie! – krzyknął chłopak, podskakując z radości.

– Dobra robota – pochwalił ich brat Fernando.

– Kto mógł rozciągnąć tę sieć? – zastanawiała się Nadia, zwróciwszy uwagę, że była ona wykonana z tego samego materiału co znalezione na plaży sznurki.

ROZDZIAŁ 5

Zaczarowany las

Po powrocie do obozowiska Joel González sklecił wędkę z bambusa i zakrzywionego drutu i ulokował się na brzegu w nadziei, że uda mu się złowić coś na obiad, podczas gdy cała reszta komentowała niedawną przygodę. Brat Fernando zgodził się z teorią Nadii: istniała nadzieja, że ktoś przybędzie im na ratunek, sieć wskazywała bowiem na obecność człowieka. Wcześniej czy później myśliwi wrócą po zdobycz.

– Dlaczego polują na goryle? Ich mięso jest niesmaczne, a futro brzydkie – chciał wiedzieć Alexander.

– Mięso jest zjadliwe, jeśli nie można liczyć na nic innego. Wnętrzności goryli wykorzystywane są w rytuałach czarnej magii, ze skór i czaszek robi się maski, a z łap – popielniczki. To prawdziwy przebój na rynku pamiątek – wyjaśnił misjonarz.

– Okropność!

– W ośrodku misyjnym w Ruandzie mieliśmy dwuletniego goryla, jedynego, jakiego udało nam się uratować. Matki zabijano, a biedne osierocone małe trafiały czasem do nas. Są wyjątkowo wrażliwe, najczęściej zdychały z przygnębienia, oczywiście jeśli wcześniej nie zginęły z głodu.

– À propos, nie jesteście głodni? – zapytał Alexander.

– Wypuszczenie żółwia nie było najlepszym pomysłem, mogliśmy z niego przyrządzić wyśmienitą kolację – zauważyła Angie.

Winni milczeli. Angie miała rację: w sytuacji, w jakiej się znajdowali, nie powinni byli bawić się w sentymenty – walczyli o przeżycie.

– Co się stało z nadajnikiem pokładowym? – zapytała Kate.

– Wysłałam wiele sygnałów, prosząc o pomoc, ale nie sądzę, by dotarły do celu, jesteśmy zbyt daleko. Będę w dalszym ciągu próbowała się porozumieć z Michaelem Mushahą. Obiecałam kontaktować się z nim dwa razy dziennie. Na pewno zdziwi go brak wiadomości – odpowiedziała Angie.

– Wcześniej czy później ktoś sobie o nas przypomni i zacznie nas szukać – pocieszała ich Kate.

– Urządziliśmy się na cacy: samolot w kawałkach, a my tkwimy nie wiadomo gdzie i przymieramy głodem – zżymała się Angie.

– Ale z pani pesymistka! Kogo Pan Bóg stworzy, tego nie umorzy. Zobaczy pani, że wszystko będzie dobrze – ofuknął ją brat Fernando.

Angie chwyciła go za ramiona i uniosła kilka centymetrów nad ziemię, by móc spojrzeć mu prosto w oczy.

– Gdyby mnie ksiądz posłuchał, nie znaleźlibyśmy się w tarapatach! – wrzasnęła, a z jej oczu sypnęły się iskry.

– To ja zadecydowałam, by tu przylecieć, Angie – wtrąciła się Kate.

Członkowie wyprawy rozproszyli się po plaży, powracając do swoich zajęć. Przy pomocy Alexandra i Nadii Angie zdołała odczepić śmigło, ale wnikliwe oględziny potwierdziły tylko to, czego się obawiali: nie mogli naprawić go na miejscu. Utknęli na amen.

Joel González nie sądził, by jakiekolwiek stworzenie zainteresowało się jego prymitywnym haczykiem, dlatego omal się nie przewrócił, kiedy coś niespodziewanie szarpnęło za żyłkę. Wszyscy pospieszyli mu z pomocą i w końcu, po długiej szamotaninie, wyciągnęli z wody dorodnego karpia. Ryba dogorywała przez długie minuty, ciskając się na piasku, co było dla Nadii niekończącą się torturą, nie mogła bowiem patrzeć na cierpienie zwierząt.

– Takie są prawa przyrody, drogie dziecko. Jedni muszą umrzeć, by mogli żyć inni – pocieszał ją brat Fernando.

Nie chciał dodawać, że to Bóg zesłał im karpia, choć tak właśnie uważał. Wolał nie drażnić Angie Ninderery. Wypatroszyli rybę, zawinęli ją w liście i upiekli. Nigdy jeszcze nie jedli czegoś równie smakowitego. Na plaży było gorąco jak w piekle. Przymocowali do czterech pali kawał płótna i ułożyli się w jego cieniu, obserwowani przez małpy i wielkie zielone jaszczurki wygrzewające się na słońcu.

Gdy tak drzemali, pocąc się w tym mizernym cieniu, z lasu na przeciwległym końcu plaży nadciągnęło nagle coś na kształt trąby powietrznej, wznosząc tumany piachu. Zamęt był tak wielki, że początkowo myśleli, iż przyjdzie im się zmierzyć z nosorożcem, szybko jednak okazało się, że był to wielki dzik o nastroszonej sierści i groźnych kłach. Bestia natarła na oślep na obozowisko, nie dając im nawet czasu chwycić za broń, którą odłożyli na czas sjesty. Z ledwością uniknęli spotkania z kłami dzika, kiedy ten rzucił się na nich, wpadając po drodze na drągi podtrzymujące płócienny daszek i burząc całą konstrukcję. Sapiąc, słał im teraz z pobojowiska rozeźlone spojrzenia.

Angie Ninderera puściła się biegiem po rewolwer. Jej ruchy przyciągnęły uwagę zwierzęcia, skłaniając je do ponownego ataku. Dzik zaczął ryć przednimi kopytami piach, po czym spuścił łeb i ruszył na Angie, której krągłości stanowiły doskonały cel.

Gdy wydawało się, że nic już nie uratuje pilotki, brat Fernando zagrodził napastnikowi drogę, potrząsając mu przed nosem kawałkiem płótna. Bestia stanęła jak wryta, odwróciła się w jego stronę, po czym rzuciła się na niego. Już, już miała staranować misjonarza, gdy ten wywinął się tanecznym krokiem. Rozwścieczony dzik wziął rozpęd i zaatakował ponownie. Również tym razem zaplątał się w płótnie, nie musnąwszy nawet przeciwnika. Angie zdążyła już chwycić rewolwer, ale bała się strzelać, ponieważ sylwetki misjonarza i biegającego wokół niego dzika zlewały się ze sobą.

Wszyscy pojęli, że są świadkami najdziwniejszej w świecie korridy. Misjonarz wywijał płótnem jak muletą, drażnił i podpuszczał dzika, wykrzykując: „*Olé*, byczku!". Prowokował go, stawał mu przed samym nosem, doprowadzał go do szału. Po chwili ogłupiałe zwierzę słaniało się na nogach, z pyska ciekła mu piana. Misjonarz odwrócił się do niego plecami i z gracją toreadora oddalił się kilka kroków, ciągnąc po ziemi płachtę, podczas gdy dzik starał się utrzymać na nogach. Angie skorzystała z okazji i wpakowała mu dwie kulki w łeb. Występ brata Fernanda został nagrodzony huraganem braw i gwizdów uznania.

– Ale miałem frajdę! Od trzydziestu pięciu lat nie staję na arenie! – zawołał misjonarz.

Po raz pierwszy zobaczyli uśmiech na jego twarzy. Opowiedział im nieco o swoim życiu. W młodości marzył, by pójść w ślady ojca, sławnego toreadora, ale Bóg miał co do niego inne plany: ostry atak febry niemal pozbawił go wzroku i nie mógł już walczyć z bykami. Nie miał pojęcia, co zrobić ze swoim życiem, aż pewnego dnia dowiedział się od miejscowego proboszcza, że rekrutowano misjonarzy do pracy w Afryce. Zgłosił się pod wpływem rozpaczy, że nie dane mu będzie zrealizować młodzieńczych marzeń, ale wkrótce odkrył w sobie powołanie. Praca misjonarza i praca toreadora miały dużo wspólnego – oba zajęcia wymagały odwagi, samozaparcia i wiary, cech niezbędnych do pokonywania przeciwności.

– Łatwo jest walczyć z bykiem. Znacznie trudniej służyć Chrystusowi – zakończył brat Fernando.

– Sądząc z księdza występu, do żadnej z tych dwóch czynności nie potrzeba dobrego wzroku – powiedziała Angie wzruszona, bo misjonarz uratował jej życie.

– Mamy teraz mięsa a mięsa. Jeśli je upieczemy, wytrzyma nieco dłużej – powiedział brat Fernando.

– Sfotografowałeś korridę? – zapytała Kate Joela Gonzaleza.

Ten musiał przyznać, że pod wpływem emocji na śmierć zapomniał o swoich obowiązkach.

– Mnie się udało! – zawołał Alexander, wymachując niepozornym aparatem automatycznym, z którym się nie rozstawał.

Tylko brat Fernando wiedział, jak wypatroszyć dzika i ściągnąć z niego skórę, w swojej rodzinnej Galicii uczestniczył bowiem w niejednym świniobiciu. Zdjął koszulę i zabrał się do dzieła.

Z braku odpowiednich noży praca szła mu opornie i uwalał się od stóp do głów. Podczas gdy misjonarz pochłonięty był tym zajęciem, Alexander i Joel González kijami odganiali krążące im nad głową sępy. Godzinę później mięso było gotowe do wykorzystania. To, co nie nadawało się do spożycia, wrzucili do rzeki, chcąc uniknąć much i mięsożernych zwierząt, które zjawiłyby się zapewne, zwabione zapachem krwi. Misjonarz odciął dzikiej świni kły, oczyścił je w piasku, po czym wręczył Alexandrowi i Nadii.

– Zabierzecie je ze sobą do Stanów na pamiątkę – powiedział.

– Jeśli wydostaniemy się stąd żywi – wtrąciła Angie.

Przez całą niemal noc padał ulewny deszcz, utrudniając podtrzymywanie ogniska. Próbowali je osłaniać kawałkiem brezentu, ale i tak wciąż gasło. W końcu poddali się. Jedyny incydent zdarzył się podczas warty Angie. Pilotka nazwała potem to zdarzenie „cudownym ocaleniem". Wielki krokodyl, najwyraźniej zdesperowany po nieudanych łowach na brzegu rzeki, odważył się podkraść do kręgu światła rzucanego przez tlące się jeszcze ognisko i lampę naftową. Angie, która siedziała skulona pod kawałkiem folii, chroniąc się przed deszczem, nie zauważyła go. Gdy zdała sobie sprawę, że ma towarzystwo, krokodyl był już tuż obok: zobaczyła jego rozwartą paszczę niecały metr od swoich nóg. Przemknęła jej przez głowę przepowiednia Ma Bangesé, wróżki z bazaru, i zrozumiała, że wybiła jej ostatnia godzina. Nie potrafiła wykrzesać z siebie nawet odrobiny zimnej krwi i sięgnąć po leżącą obok strzelbę. Instynkt samozachowawczy i strach sprawiły, że zdążyła wycofać się w podskokach, wydając przy tym przeraźliwe wrzaski, które obudziły jej towarzyszy. Krokodyl zawahał się na chwilę, ale zaraz potem zaatakował na nowo. Angie rzuciła się do ucieczki, potknęła się i upadła. Zdążyła jednak przeturlać się na bok, unikając zębów bestii.

Pierwszy przybiegł jej na ratunek Alexander, który jeszcze zanim rozległy się krzyki pilotki, wygramolił się ze śpiwora, zbliżała się bowiem pora jego warty. Niewiele myśląc, złapał pierwszą rzecz, jaka nawinęła mu się pod rękę, i z całej siły grzmotnął krokodyla w pysk. Chłopak darł się bardziej niż Angie, rozdając ciosy i kopniaki na prawo i lewo, z których najwyżej połowa osiągała cel. Zaraz potem przyszli mu z odsieczą pozostali uczestnicy wyprawy. Angie, otrząsnąwszy się z zaskoczenia, chwyciła strzelbą i zaczęła strzelać na oślep. Kilka kul trafiło w gada, ale nie przebiło jego grubej skóry. Zamęt i ciosy zadane przez Alexandra skłoniły go w końcu do zrezygnowania z upatrzonej kolacji i odszedł obrażony w stronę rzeki, waląc gniewnie ogonem.

– Prawdziwy krokodyl! – wyjąkał Alexander, drżąc na całym ciele. Nie mógł uwierzyć, że walczył z takim potworem.

– Synu, niech cię ucałuję! Uratowałeś mi życie! – zawołała Angie, przyciskając go do swego obfitego biustu.

Żebra zaczęły mu trzeszczeć, perfumy o zapachu gardenii zmieszane z wonią strachu mdliły go niemiłosiernie, ale pilotka nie przestawała pokrywać go głośnymi całusami, śmiejąc się nerwowo i płacząc na przemian.

Podszedł do nich Joel González, by przyjrzeć się broni użytej przez Alexandra.

– Przecież to mój aparat! – zawołał.

Miał rację. Futerał z czarnej skóry był zupełnie zniszczony, ale masywny niemiecki sprzęt nie doznał widocznego uszczerbku podczas utarczki z krokodylem.

– Wybacz, Joelu. Następnym razem użyję mojego – powiedział Alexander, pokazując swój mały, kieszonkowy aparat.

Rano przestało padać. Udało im się zrobić przepierkę przy użyciu twardego mydła z kreoliny, które Angie miała w swoim bagażu, po czym rozwiesili ubrania na słońcu. Na śniadanie mieli pieczone mięso, ciastka i herbatę. Zdecydowali się w końcu na propozycję Alexandra, rzuconą pierwszego dnia, i zaczęli ustalać, jak zabrać się do budowy tratwy, która zawiozłaby ich w dół rzeki do najbliższej wioski, gdy nagle dostrzegli płynące w ich stronę dwie dłubanki. Radość i uczucie ulgi były tak wielkie, że jak na rozbitków przystało, rzucili się do wody, krzycząc w euforii. Na ich widok dłubanki zatrzymały się w pewnej odległości, po czym zaczęły się gwałtownie oddalać. W każdej łódce siedziało po dwóch mężczyzn, ubranych w krótkie spodnie i koszulki. Angie pozdrowiła ich, krzycząc po angielsku i we wszystkich lokalnych językach, jakie tylko mogła sobie przypomnieć, błagając, by zawrócili i obiecując im pieniądze w zamian za pomoc. Tubylcy zaczęli się naradzać i ciekawość lub chciwość najwyraźniej przeważyły, bo ponownie chwycili za wiosła, tym razem kierując się ostrożnie ku brzegowi. Ujrzeli na nim dość komiczną gromadkę: potężną kobietę, ekscentryczną babcię, parę nastolatków, chudego jegomościa w grubych okularach i jeszcze jednego typa, który również nie wyglądał nazbyt groźnie. Przekonawszy się, że mimo broni w rękach grubej damy ludzie ci nie stanowili żadnego zagrożenia, tubylcy pozdrowili ich na migi i przybili do brzegu.

Powiedzieli, że są rybakami i mieszkają w oddalonej o kilka kilometrów wiosce, na południe stąd. Byli silni, krzepcy, niemal kwadratowi, mieli bardzo ciemną skórę, a w rękach trzymali maczety. Zdaniem brata Fernanda należeli do ludu Bantu.

Z powodu kolonialnej przeszłości drugim językiem używanym na tych terenach był francuski. Okazało się, że Kate Cold znała go dość dobrze i zdołała zamienić kilka zdań z rybakami, czym wprawiła w zdumienie swojego wnuka. Brat Fernando i Angie, władający wieloma afrykańskimi językami, tłumaczyli tubylcom to, czego pozostali podróżnicy nie potrafili powiedzieć po francusku. Opowiedzieli tubylcom o wypadku, pokazali uszkodzony samolot i poprosili o pomoc w wydostaniu się z tego miejsca. Bantu wypili podsunięte im ciepłe piwo, pochłonęli kilka kawałków dzika, ale hardo spierali się o cenę, a odprężyli się dopiero wtedy, kiedy Angie poczęstowała ich papierosami.

Tymczasem Alexander zdążył zajrzeć do ich dłubanek, a nie znalazłszy w nich rybackiego sprzętu, doszedł do wniosku, że tubylcy kłamali i należało mieć się na baczności. Inni członkowie wyprawy też im nie ufali.

Podczas gdy tubylcy objadali się, pili i palili, grupka podróżników odeszła na stronę, by omówić sytuację. Angie radziła nie spuszczać tych typów z oka, mogli bowiem próbować ich zabić w celach rabunkowych. Z kolei brat Fernando uważał, że byli oni wysłannikami niebios i przybyli, by pomóc im w ich misji.

– Ci ludzie zabiorą nas w górę rzeki ku Ngoubé. Według mapy... – powiedział.

– Mowy nie ma! – przerwała mu Angie. – Popłyniemy z nimi na południe, do ich osady. Stamtąd uda nam się pewnie nawiązać łączność ze światem. Muszę zdobyć nowe śmigło i wrócić po mój samolot.

– Jesteśmy już bardzo blisko Ngoubé. Nie mogę zrezygnować z poszukiwania moich towarzyszy, kto wie, w jakiej znajdują się sytuacji.

– Czy nie wydaje się księdzu, że sami mamy już aż nadto kłopotów? – odparła pilotka.

– Pani nie szanuje pracy misjonarzy! – zaperzył się brat Fernando.

– A czy ksiądz szanuje wierzenia Afrykańczyków? Dlaczego misjonarze starają się nam narzucić swoją religię? – odparowała Angie.

– Uspokójcie się! Mamy teraz ważniejsze sprawy na głowie – ofuknęła ich Kate.

– Rozdzielmy się. Ci, którzy chcą, niech płyną z panią na południe, ja, razem z ochotnikami, udam się drugą dłubanką do Ngoubé – zaproponował brat Fernando.

– Nie ma mowy. Musimy trzymać się razem – przerwała mu Kate.

– Dlaczego nie przeprowadzimy głosowania? – zauważył Alexander.

– Bo demokracja nie ma tu nic do rzeczy, młody człowieku – stwierdził misjonarz.

– W takim razie niech Bóg zdecyduje za nas – powiedział Alexander.

– Niby jak?

– Rzućmy monetą. Reszka – płyniemy na południe, orzeł – ruszamy na północ. Wszystko w rękach Boga lub, jeśli kto woli, ślepego losu – wyjaśnił Alex, wydobywając z kieszeni monetę.

Angie Ninderera i brat Fernando wahali się chwilę, po czym parsknęli śmiechem. Pomysł Alexandra wydał im się wyjątkowo zabawny.

– Niech tak będzie! – zawołali jednocześnie.

Reszta również przystała na takie rozwiązanie. Alexander podał monetę Nadii, a ta podrzuciła ją w górę. Wszyscy wstrzymali oddech do chwili, gdy moneta upadła na piasek.

– Rewers! Płyniemy na północ! – krzyknął triumfalnie brat Fernando.

– Daję księdzu trzy dni. Jeśli w tym czasie nie odnajdzie ksiądz swoich przyjaciół, wracamy. Zrozumiano? – zagrzmiała Angie.

– Pięć dni.

– Cztery.

– Niech będzie. Cztery dni i ani minuty mniej – przystał niechętnie misjonarz.

Przekonanie rzekomych rybaków, by zawieźli ich do miejsca, jakie wskazali im na mapie, okazało się trudniejsze, niż można było oczekiwać. Tubylcy tłumaczyli, że nikt nie zapuszczał się na tamte tereny bez zgody króla Kosongo, który nie przepadał za cudzoziemcami.

– Króla? W tym kraju nie ma królów, jest prezydent. I parlament, jak na demokratyczny ustrój przystało – powiedziała Kate.

Angie wyjaśniła, że oprócz rządu centralnego, niektóre klany i plemiona afrykańskie mają swoich królów, a nawet królowe. Ich rola jest bardziej symboliczna niż polityczna, podobnie jak w przypadku monarchów, którzy ostali się jeszcze w Europie.

– Misjonarze wspominali w listach o niejakim królu Kosongo, choć częściej pojawiało się nazwisko komendanta Maurice'a Mbembelé. Wszystko wskazuje na to, że to właśnie on sprawuje tam władzę – powiedział brat Fernando.

– Być może chodzi o inną wioskę – zauważyła Angie.

– Nie mam cienia wątpliwości, że mówimy o jednej i tej samej osadzie.

– Nie postąpimy zbyt rozsądnie, pchając się lwu do paszczy – rzuciła Angie.

– Musimy się dowiedzieć, co się stało z misjonarzami – powiedziała Kate.

– Co ksiądz wie o tym Kosongu? – zapytał Alexander.

– Niewiele. Wygląda na to, że mamy do czynienia z uzurpatorem osadzonym na tronie przez komendanta Mbembelé. Przedtem rządy w wiosce sprawowała królowa, ale słuch po niej zaginął. Prawdopodobnie została zamordowana, od wielu lat nikt jej nie widział.

– A co pisali misjonarze o Mbembelé? – nie przestawał pytać Alexander.

– Studiował kilka lat we Francji, skąd został wydalony, bo miał kłopoty z policją – wyjaśnił brat Fernando.

Dodał, że po powrocie do ojczyzny Maurice Mbembelé rozpoczął karierę w wojsku, ale i tam nie zagrzał długo miejsca z winy swego niezdyscyplinowania i wybuchowego charakteru. Oskarżono go o to, że zdławił zamieszki, strzelając do studentów i paląc budynki mieszkalne. Jego zwierzchnicy postanowili nie wywlekać sprawy na światło dzienne, bojąc się, że dziennikarze dobiorą się im do skóry, i pozbyli się kłopotliwego oficera, wysyłając go do najbardziej odległego miejsca na mapie. Mieli nadzieję, że żółta febra i moskity złagodzą mu charakter lub wyślą na tamten świat. Mbembelé zaszył się w dżungli z garstką swoich najwierniejszych ludzi. Niedługo potem wypłynął w Ngoubé. Misjonarze donosili w listach, że Mbembelé zamienił wioskę w swoją kwaterę i kontroluje stamtąd całą okolicę. Jest okrutny, karze ludzi wymyślnymi torturami. Wspominali, że nieraz zdarzyło mu się zjeść wątrobę lub serce swojej ofiary.

– Typowy przykład kanibalizmu rytualnego. Istnieje przekonanie, że można w ten sposób posiąść męstwo i siłę pokonanego przeciwnika – wyjaśniła Kate.

– Idi Amin, ugandyjski dyktator, miał zwyczaj podawać na kolację pieczeń z własnych ministrów – dodała Angie.

– Kanibalizm nie jest wcale tak rzadki, jak nam się wydaje. Zetknęłam się z nim kilka lat temu na Borneo – wspomniała Kate.

– Naprawdę byłaś świadkiem aktów ludożerstwa, Kate? – zapytał Alexander.

– Przebywałam wtedy na Borneo, pracując nad reportażem. Nie widziałam, jak pakują ludzi do gara, jeśli o to pytasz, ale dowiedziałam się o takich praktykach z pierwszej ręki. Na wszelki wypadek jadłam tylko fasolę z puszki – odparła babcia.

– Chyba zostanę wegetarianinem – Alexander nie ukrywał swego obrzydzenia.

Brat Fernando powiedział, że komendant Mbembelé niezbyt przychylnym okiem patrzył na chrześcijańskich misjonarzy, którzy przebywali na jego terytorium. Był przekonany, że nie zabawią tam długo: nawet jeśli nie padną ofiarą jakiejś tropikalnej choroby lub nieszczęśliwego wypadku, pokona ich zmęczenie i frustracja. Pozwolił im zbudować niewielką szkołę i punkt medyczny, w którym podawali leki, jakie ze sobą przywieźli, ale zabronił dzieciom chodzić na lekcje, a chorym zbliżać się do ośrodka. Braciszkowie zaczęli wtedy uczyć kobiety zasad higieny, ale niebawem nawet to zostało im zakazane. Żyli w izolacji, w ciągłym zagrożeniu, podlegając kaprysom króla i komendanta.

Na podstawie skąpych informacji, jakie misjonarze zdołali przekazać, brat Fernando wnioskował, że środki potrzebne do utrzymania królestwa strachu Kosongo i Mbembelé czerpią z przemytu. Tamte okolice obfitują bowiem w diamenty i inne szlachetne kamienie, są tam również nieeksploatowane złoża uranu.

– Czyżby rząd nie zamierzał ruszyć palcem w tej sprawie? – zapytała Kate.

– Zapomniała pani, gdzie jesteśmy? Najwyraźniej pani nie wie, jak załatwia się tutaj takie sprawy – odpowiedział jej brat Fernando.

Po długim namyśle i zajadłych targach Bantu zgodzili się w końcu dostarczyć ich na terytorium Kosonga, życząc sobie w zamian zapłaty w pieniądzach, piwie i papierosach, nie licząc dwóch noży. Uczestnicy wyprawy wrzucili pozostałe zapasy do worków, chowając na samym dnie alkohol i papierosy, które na tych terenach zdawały się najlepszą walutą przetargową i mogły się przydać do opłacania usług oraz przekupywania nieskorych do współpracy tubylców. Puszki sardynek, brzoskwinie w syropie, zapałki, cukier, mleko w proszku i mydło również były w tych stronach poszukiwanymi rarytasami.

– Nikomu nie pozwolę tknąć mojej wódki! – odgrażała się Kate.

– Przede wszystkim nie możemy zapomnieć o antybiotykach, tabletkach na malarię oraz surowicy przeciw jadowi żmij – powiedziała Angie, pakując do plecaka apteczkę pokładową, w której znajdowała się między innymi ampułka ze środkiem uspokajającym, jaką dostała od Michaela Mushahy.

Bantu wywrócili dłubanki do góry dnem i podstawiwszy pod jeden koniec solidny drąg, stworzyli prowizoryczne daszki, pod którymi ułożyli się do snu, zmęczeni nocnymi breweriami, polegającymi na raczeniu się napojami wyskokowymi i śpiewaniu na całe gardło. Najwyraźniej towarzystwo białych ludzi i sąsiedztwo dzikich zwierząt nie spędzały im snu z powiek. Natomiast członkowie wyprawy wcale nie czuli się bezpieczni. Przez całą noc kurczowo ściskali w rękach broń i tobołki i nie zdrzemnęli się ani na chwilę, bojąc się spuścić z oka rybaków, którzy chrapali sobie w najlepsze. Tuż po godzinie piątej zaczęło świtać. Krajobraz, spowity tajemniczą mgiełką, przypominał delikatną akwarelę. Później gdy cudzoziemcy, ledwo żywi ze zmęczenia, czynili już ostatnie przygotowania do odjazdu, Bantu uganiali się za szmacianą piłką, rozgrywając zacięty mecz futbolowy.

Brat Fernando sklecił maleńki ołtarz polowy zwieńczony krzyżem zrobionym z dwóch kijów i zaczął nawoływać do modlitwy. Bantu podeszli z czystej ciekawości, podróżnicy tylko dlatego, by nie robić przykrości misjonarzowi. Jednak podniosły nastrój, jaki brat Fernando nadał ceremonii, udzielił się wszystkim, nawet Kate, która podczas swoich niezliczonych wojaży miała okazję uczestniczyć w tylu odmiennych rytuałach, że już rzadko co ją wzruszało.

Ułożyli tobołki w niestabilnych dłubankach, starając się jak najlepiej rozłożyć ciężar pasażerów i bagażu. To, co nie mieściło się już na łodziach, zostawili w kabinie samolotu.

– Mam nadzieję, że nikt się tu nie zjawi pod naszą nieobecność – powiedziała Angie, poklepując na pożegnanie swego Supersokoła.

Awionetka stanowiła cały jej majątek, nic więc dziwnego, że bała się, by maszyny nie rozkradziono do ostatniej śrubki. To w końcu tylko cztery dni, próbowała pocieszać się w duchu, ale serce się jej ściskało, pełne najgorszych przeczuć. Cztery dni w dżungli oznaczały wieczność.

Wyruszyli około ósmej rano. Rozpięli nad dłubankami brezentowe płótno, w nadziei że choć trochę ochroni ich to przed słońcem, które paliło niemiłosiernie, kiedy płynęli samym środkiem rzeki. Podczas gdy cudzoziemcy ledwie zipali z pragnienia i gorąca, atakowani przez pszczoły i muchy, Bantu wiosłowali pod prąd ze zdumiewającą łatwością, dodając sobie animuszu żartami oraz potężnymi łykami palmowego wina, które trzymali w plastikowych butelkach. Wino to produkowali w dziecinnie prosty sposób: robili u podstawy palmy nacięcie w kształcie litery „v", wieszali pod nim tykwę, a gdy ta napełniła się sokiem rośliny, czekali, aż sfermentuje.

Powietrze drgało od ptasiego harmidru, a woda roiła się od ryb. Widzieli hipopotamią rodzinę, być może tę samą, którą spotkali przy brzegu pierwszej nocy, i dwa rodzaje krokodyli: szare i w kolorze kawy, nieco mniejsze. Angie, czując się nareszcie panią sytuacji, posłała im z dłubanki soczystą wiązankę. Bantu chcieli schwytać jeden z dorodniejszych okazów, za którego skórę otrzymaliby okrągłą sumkę, ale Angie wpadła w histerię, a pozostali nie byli skłonni dzielić i tak już bardzo ograniczonego miejsca w dłubance z krokodylem, nawet jeśli miałby związane łapska i pysk. Mieli okazję przyjrzeć się garniturowi jego odrastających zębisk i przekonać się o sile krokodylego ogona.

Tuż obok przepłynął ciemny wąż, ocierając się o jedną z dłubanek, po czym nadął się raptownie i przemienił w ptaka z czarnym ogonem i białymi pręgami na skrzydłach. Stworzenie wzbiło się w powietrze i zniknęło w lesie. Chwilę potem wielki cień przesunął się nad ich głowami i Nadia krzyknęła, rozpoznawszy wspaniałego orła – harpijnika szarego. Angie napomknęła, że kiedyś widziała, jak taki ptak unosił w szponach gazelę. Pomiędzy wielkimi, mięsistymi liśćmi tworzącymi wyspy, które musieli opływać ostrożnie, aby łódki nie zaplątały się w korzenie, unosiły się na wodzie białe nenufary. Oba brzegi rzeki porośnięte były gęstą roślinnością: wszędzie widać było zwisające liany, paprocie, korzenie i gałęzie drzew. Monotonię zieleni przerywał od czasu do czasu kolorowy akcent: fioletowa, czerwona, żółta lub różowawa orchidea.

Przez większość dnia płynęli na północ. Niezmordowani wioślarze nie zwolnili tempa nawet w porze największego upału, gdy uczestnicy wyprawy byli bliscy omdlenia. Nie zatrzymali się na obiad, musieli się zadowolić herbatnikami, wodą z butelki oraz odrobiną cukru. Nikt nie połakomił się na sardynki, sam ich zapach przyprawiał o mdłości.

Po południu, gdy słońce wciąż jeszcze stało wysoko, ale upał nieco zelżał, jeden z Bantu wskazał na brzeg. Dłubanki zatrzymały się. Rzeka rozwidlała się tutaj na dwie odnogi – jedna, szeroka, prowadziła dalej na północ, druga tworzyła wąski kanał, który ginął w gąszczu po lewej stronie. Na stałym lądzie przy ujściu kanału stało coś, co przypominało stracha na wróble. Była to drewniana figura wielkości człowieka, przybrana rafią, piórami i kawałkami skór, zwieńczona głową goryla, z którego rozwartej szczęki zdawał się wydobywać przerażający krzyk. W puste oczodoły wetknięto dwa kamyki. Tułów najeżony był gwoździami, a głowę ozdobiono oryginalnym kapeluszem w postaci koła od roweru, z którego zwisały kości i zabalsamowane ręce, być może małpie. Wokół pełno było równie potwornych figur i czaszek zwierząt.

– To kukły do szatańskich rytuałów – zawołał brat Fernando, kreśląc znak krzyża.

– Są niewiele brzydsze od świętych zapełniających katolickie kościoły – zauważyła z sarkazmem Kate.

Joel González i Alexander sięgnęli po aparaty fotograficzne.

Przerażeni Bantu oznajmili, że dalej nie płyną, i choć Kate kusiła ich dodatkową zapłatą i papierosami, zdania nie zmienili. Wyjaśnili, że ten makabryczny ołtarz wyznacza granicę terytorium Kosonga. Dalej zaczynało się jego królestwo, do którego nikt nie mógł wkroczyć bez zezwolenia. Tubylcy powiedzieli im, że jeśli zaraz wyruszą oznaczoną drogą, dotrą do Ngoubé jeszcze przed nastaniem nocy. Od wioski, zapewnili, dzielą ich dwie lub trzy godziny marszu szlakiem, który wyznaczają nacięte maczetą drzewa. Wioślarze wyciągnęli na brzeg swoje delikatne łódki i nie czekając na polecenie, zaczęli wyrzucać bagaże podróżników.

Kate wypłaciła im część należności i swoim kulawym francuskim oraz z pomocą brata Fernanda zdołała im wytłumaczyć, że jeśli przypłyną po nich w to samo miejsce za cztery dni, otrzymają resztę pieniędzy i premię w postaci papierosów i brzoskwiń w syropie. Bantu przytakiwali, rozpływając się w nieszczerych uśmiechach, i cofali się, potykając się raz za razem, po czym wskoczyli do dłubanek i odpłynęli, jakby goniło ich sto biesów.

– Banda dziwaków! – stwierdziła Kate.

– Obawiam się, że już ich więcej nie zobaczymy – wtrąciła z niepokojem Angie.

– Ruszajmy, zanim zacznie się ściemniać – powiedział brat Fernando, zarzucając na ramię plecak i podnosząc z ziemi dwa tobołki.

ROZDZIAŁ 6

Pigmeje

Wspomniane przez Bantu znaki nie były widoczne. Teren okazał się bagnem poprzetykanym korzeniami i gałęziami, w którym grzęźli co rusz, zapadając się w miękkim kożuchu z insektów, pijawek i innych robali. Spasione szczury wielkości psów czmychały im spod nóg. Na szczęście mieli wysokie buty, które chroniły ich przynajmniej od węży. Wilgoć była tak przejmująca, że Alexander i Kate zdecydowali się zdjąć zaparowane okulary, a brat Fernando, który bez swoich szkieł był ślepy jak kret, musiał przecierać je co pięć minut. Niełatwo było wyłowić z tego zielonego żywiołu pnie naznaczone maczetą.

Alexander przekonał się po raz kolejny, że klimat tropikalny wysysa energię z ciała, a duszę zalewa ociężałą obojętnością. Zatęsknił za orzeźwiającym chłodem ośnieżonych szczytów, które tak kochał i na które wspinał się z ojcem. Pomyślał, że jeśli on czuje się podle, to jego babcia musi być o krok od zawału serca, ale Kate nigdy się nad sobą nie użalała. Ani myślała dać się starości. Mawiała, że lata objawiają się w zgarbionych plecach oraz pokasływaniu, charkaniu, jękach i strzykaniu w kościach. Dlatego ona trzymała się zawsze prosto i nie wydawała żadnych dziwnych odgłosów.

Posuwali się niemal po omacku, a skaczące po drzewach małpy ciskały w nich czym popadnie. Mniej więcej wiedzieli, w jakim kierunku powinni iść, ale nie mieli zielonego pojęcia, ile drogi dzieli ich jeszcze od Ngoubé. Tym bardziej nie mogli się spodziewać, jakie przyjęcie ich tam czeka.

Szli już od ponad godziny, ale niewiele się posunęli, na tak grząskim terenie pośpiech był raczej niewskazany. Kilkakrotnie trafiali na mokradła, brodząc po pas w wodzie. Za którymś razem Angie straciła grunt pod nogami i krzyknęła, czując, że zapada się w muł i mimo wysiłków nie może się z niego wydostać. Brat Fernando i Joel González podsunęli jej koniec strzelby, której uchwyciła się obiema rękami, i w ten sposób wyciągnęli ją z bagna. W zdenerwowaniu Angie wypuściła jakiś pakunek.

– Moja torebka! – jęknęła, patrząc, jak ta znika na zawsze w błocie.

– Co tam torebka! Najważniejsze, że pani nie utonęła – powiedział brat Fernando.

– Co tam torebka?! Tam były moje papierosy i szminka!

Kate odetchnęła z ulgą: przynajmniej nie będzie musiała wdychać tego cudownego zapachu tytoniu Angie; pokusa była nazbyt silna.

Obmyli się z grubsza w napotkanej kałuży, ale nie mogli nic poradzić na błoto, które chlupotało im w butach. Na dodatek mieli nieprzyjemne wrażenie, że są obserwowani.

– Obawiam się, że ktoś nas śledzi – powiedziała w końcu Kate, nie mogąc dłużej znieść napięcia.

Ustawili się w kręgu, za całą broń mając rewolwer i strzelbę Angie oraz maczetę i kilka noży.

– Niech Bóg ma nas w swojej opiece – szepnął brat Fernando. Te słowa wymykały mu się ostatnio coraz częściej.

Po kilku minutach z gęstwiny zaczęli się ostrożnie wyłaniać jacyś ludzie, niepozorni jak dzieci. Najwyższy nie mierzył nawet półtora metra. Mieli skórę barwy żółtawej kawy, krótkie nogi, długie ramiona i tułów, osadzone daleko od siebie oczy, spłaszczony nos i zbite w kępki włosy.

– To zapewne sławni leśni Pigmeje – szepnęła Angie, pozdrawiając ich gestem dłoni.

Mieli na sobie tylko skąpe opaski, a jeden ubrany był w poszarpaną koszulkę, sięgającą mu za kolana. Uzbrojeni byli w dzidy, ale nie wygrażali nimi, używali ich raczej jako lasek. Dwóch z nich niosło owiniętą na kiju sieć. Nadia zauważyła, że była ona dokładnie taka sama jak ta, w którą wpadła gorylica, wiele kilometrów od miejsca, w którym się teraz znajdowali. Na pozdrowienie Angie odpowiedzieli ufnymi uśmiechami i kilkoma francuskimi słowami, po czym zaczęli trajkotać w swoim języku, którego nikt z podróżników nie rozumiał.

– Możecie zaprowadzić nas do Ngoubé? – przerwał im brat Fernando.

– Ngoubé? *Non, non*! – wykrzyknęli Pigmeje.

– Musimy się dostać do Ngoubé – nalegał misjonarz.

Najłatwiej było się dogadać z tym w koszulce, bo oprócz topornego francuskiego znał on również wiele słów angielskich. Przedstawił się jako Beyé-Dokou. Jeden z jego towarzyszy wskazał na niego palcem i powiedział, że jest to *tuma* plemienia, czyli najlepszy myśliwy. Przyjacielskim szturchnięciem Beyé-Dokou nakazał mu milczenie, ale zadowolenie bijące z jego twarzy zdradzało, jak dumny był z tego tytułu. Pozostali wybuchnęli śmiechem, kpiąc sobie z niego otwarcie. Przejawy próżności były u Pigmejów źle widziane. Zawstydzony Beyé-Dokou ukrył głowę w ramionach. Nie bez trudności zdołał wyjaśnić Kate, że wioska Ngoubé jest miejscem bardzo niebezpiecznym, dlatego nie powinni się do niej zbliżać, wręcz przeciwnie – powinni uciekać co sił w nogach.

– Kosongo, Mbembelé, Sombe, żołnierze – powtarzał w kółko, robiąc straszne miny.

Gdy mu powiedzieli, że muszą dostać się do Ngoubé za wszelką cenę i że dłubanki mają po nich przypłynąć dopiero za cztery dni, wyraźnie się strapił, odbył długą naradę z kompanami, po czym zaproponował, że zaprowadzi ich sekretną ścieżką przez las do miejsca, gdzie zostawili samolot.

– To pewnie oni zastawili pułapkę, w którą wpadła gorylica – stwierdziła Nadia, przyglądając się sieci niesionej przez Pigmejów.

– Wygląda na to, że nie podoba im się pomysł wycieczki do Ngoubé – zauważył Alexander.

– Podobno Pigmeje jako jedyni ludzie na świecie mogą żyć w podmokłych lasach, swobodnie poruszać się po puszczy, a w orientacji pomaga im instynkt. Powinniśmy iść z nimi, zanim będzie za późno – powiedziała Angie.

– Skoro już tu jesteśmy, pójdziemy do Ngoubé. Nie taka była umowa? – zadecydowała Kate.

– Do Ngoubé! – podchwycił brat Fernando.

Wymownymi gestami Pigmeje dali im do zrozumienia, co sądzą o tym dziwacznym pomyśle, ale ostatecznie zgodzili się zaprowadzić ich do wioski. Położyli sieć pod jednym z drzew, bez ceregieli zabrali przybyszom tobołki i plecaki i zarzuciwszy je sobie na ramiona, puścili się truchtem w paprocie, tak szybko, że prawie nie można było za nimi nadążyć. Byli silni i zwinni, nic sobie nie robili z ponadtrzydziestokilowego ciężaru, jaki dźwigał każdy z nich, a mięśnie nóg i ramion mieli chyba ze zbrojonego betonu. Podczas gdy uczestnicy ekspedycji sapali, omdlewając niemal z upału i zmęczenia, Pigmeje biegli drobnymi kroczkami, stawiając stopy na zewnątrz jak kaczki, bez najmniejszego wysiłku i nie przerywając pogawędki.

Beyé-Dokou opowiedział im po drodze o trzech wspomnianych przez niego wcześniej osobach: o królu Kosongu, komendancie Mbembelé i o Sombe, którego przedstawił jako groźnego czarownika.

Mówił, że Kosongo nie chodzi po ziemi, bo drży ona pod dotykiem jego stóp, a jego twarz jest zawsze zasłonięta, by nikt nie widział jego oczu, król ma bowiem moc uśmiercania wzrokiem. Nigdy się do nikogo nie odzywa, bo jego głos jest jak grom: ogłusza ludzi i sieje grozę wśród zwierząt. Przemawia wyłącznie za pośrednictwem Królewskich Ust – wyszkolonego dworzanina, który jako jedyny potrafił znieść siłę jego głosu. Królewskie Usta musiały ponadto kosztować posiłków monarchy, chroniąc go w ten sposób przed zakusami trucicieli, a także czarowników, którzy mogliby rzucić na niego urok poprzez jedzenie. Beyé-Dokou pouczył podróżników, by w obecności Kosonga trzymali zawsze głowę niżej niż on. Protokół nakazywał, by przy spotkaniu z królem paść na twarz i czołgać się.

Starając się opisać Mbembelé, człowieczek w żółtej koszulce celował z niewidzialnej broni, strzelał i padał na ziemię jak martwy, wywijał dzidą oraz udawał, że maczetą lub toporem obcina dłonie i stopy. Jego gesty mówiły same za siebie. Dodał, że w żadnym razie nie powinni się sprzeciwiać Kosongowi. Nie ulegało jednak wątpliwości, że najbardziej bał się czarownika Sombe. Samo jego imię napełniało Pigmejów grozą.

Ścieżka była niewidoczna, ale ich mali przewodnicy znali drogę na pamięć i nie musieli szukać nacięć na drzewach. Przechodząc obok polany w leśnym gąszczu, zobaczyli kolejne kukły wudu, podobne do tych, na które natknęli się wcześniej, te jednak miały czerwonawy kolor rdzy. Gdy podeszli bliżej, stwierdzili, że była to zaschnięta krew. Wokół piętrzyły się odpadki, trupy zwierząt, zgniłe owoce, kawałki manioku i tykwy, prawdopodobnie z winem palmowym i innymi trunkami. Smród był nie do wytrzymania. Brat Fernando przeżegnał się, a Kate przypomniała przerażonemu Joelowi Gonzalezowi, że do jego obowiązków należy robienie zdjęć.

– Mam nadzieję, że to krew złożonych w ofierze zwierząt, nie ludzi – wybełkotał fotograf.

– Wioska przodków – powiedział Beyé-Dokou, wskazując wąską ścieżkę, która odchodziła od polany z kukłami i ginęła w puszczy.

Wyjaśnił, że udadzą się do Ngoubé okrężną drogą, nie mogą bowiem wejść na terytorium zmarłych, po którym błądzą duchy. Była to podstawowa zasada bezpieczeństwa: tylko półgłówek lub szaleniec odważyłby się tam zapuszczać.

– O czyich przodkach mowa? – chciała wiedzieć Nadia.

Beyé-Dokou nie od razu zrozumiał pytanie, musiał mu w tym pomóc brat Fernando.

– To nasi dziadowie – wyjaśnił myśliwy, pokazując na swoich towarzyszy i gestami dając do zrozumienia, że chodzi o istoty niewielkiego wzrostu.

– Czy Kosongo i Mbembelé również omijają osadę zmarłych Pigmejów? – zapytała Nadia.

– Robią tak wszyscy bez wyjątku. Niepokojone duchy mszczą się. Przenikają do ciał żywych, odbierają im rozum, wywołują choroby i zadają cierpienia, mogą nawet zabijać – odparł Beyé-Dokou.

Pigmeje ponaglali przybyszów, tłumacząc, że nocą można tu spotkać również zjawy zwierząt, które wychodzą na polowanie.

– Jak rozpoznać, czy ma się do czynienia ze zjawą, czy ze zwierzęciem z krwi i kości? – zapytała Nadia.

– Zjawa nie posiada swojego charakterystycznego zapachu. Lampart o zapachu antylopy lub wąż, który pachnie jak słoń, to duchy – wyjaśnili.

– Trzeba mieć dobry nos i podejść bardzo blisko, by je rozróżnić – roześmiał się Alexander.

Beyé-Dokou powiedział, że przedtem bali się tylko duchów przodków, nie lękali się natomiast nocy ani zwierzęcych widm, chronił ich bowiem Ipemba-Afua. Kate zapytała, czy to jakieś bóstwo, ale Pigmej wyprowadził ją z błędu: ma na myśli święty talizman, który należał do jego plemienia od niepamiętnych czasów. Z opisu wywnioskowali, że chodzi o ludzką kość będącą niewyczerpanym źródłem proszku, który leczył wiele dolegliwości. Pigmeje od pokoleń sięgali po niego nieprzeliczoną ilość razy, a mimo to ilekroć otwierano kość, okazywało się, że zapas cudownego specyfiku jest nienaruszony. Ipemba-Afua – wyjaśnili myśliwi – symbolizuje duszę pigmejskiego plemienia, jest dla niego źródłem zdrowia i siły i zapewnia szczęście na polowaniu.

– Gdzie go trzymacie? – zapytał Alexander.

Beyé-Dokou ze łzami w oczach powiedział im, że Mbembelé odebrał im Ipembę-Afuę i że jest on teraz w posiadaniu Kosonga. Tracąc talizman, utracili także swoje dusze i są zdani na łaskę króla.

Dotarli do Ngoubé o zachodzie słońca, gdy mieszkańcy zaczynali zapalać pochodnie i ogniska. Minęli mizerne poletka manioku, kawy i bananów, parę wysokich drewnianych zagród – prawdopodobnie dla zwierząt – i rząd nędznych lepianek pozbawionych okien, z krzywymi ścianami i zapadniętymi dachami. Kilka krów o długich rogach pasło się wśród chwastów, pod ich nogami kręciły się podskubane kury, wygłodzone psy oraz wyleniałe małpy. Nieco dalej otwierała się aleja czy też rozległy główny plac wioski, otoczony przyzwoitszymi chatami z gliny, krytymi falistą blachą cynkową lub słomą.

Przybycie cudzoziemców wywołało wielkie poruszenie. W mgnieniu oka ku miejscu, gdzie się zatrzymali, zbiegli się wszyscy mieszkańcy wioski, by zobaczyć, co się dzieje. Wyglądem przypominali Bantu, podobni byli do mężczyzn z dłubanek, którzy dopłynęli z nimi do rozwidlenia rzeki. Kobiety w łachmanach i nagie dzieci tworzyły zbitą masę po drugiej stronie drogi. Z tłumu wysforowało się naprzód i podeszło do nich czterech mężczyzn przewyższających wzrostem wszystkich innych mieszkańców osady – nie ulegało wątpliwości, że należeli do innej rasy. Mieli na sobie zniszczone wojskowe spodnie, byli uzbrojeni w przestarzałe karabiny i obwieszeni pasami naboi. Jeden z nich, w ozdobionym piórami kasku tropikalnym, ubrany był w podkoszulek i plastikowe sandały, pozostali mieli nagie torsy i bose stopy; głowy i ramiona wszystkich owijały pasy z lamparciej skóry, na ich policzkach i na rękach widniały rytualne blizny. Były to linie drobnych wypukłości, jak gdyby wszczepiono im pod skórę maleńkie kamyki lub paciorki.

Na widok żołnierzy wyparował z Pigmejów cały animusz, zniknęła ich pewność siebie oraz chęć na przyjacielskie pogawędki, którą przejawiali podczas przeprawy przez las. Rzucili tobołki na ziemię, pochylili głowy i wycofali się jak zbite psy. Jedynie Beyé--Dokou odważył się pożegnać cudzoziemców dyskretnym gestem.

Żołnierze wycelowali broń w przybyszów i warknęli coś po francusku.

– Dobry wieczór – pozdrowiła ich w języku angielskim stojąca na przodzie Kate, której nic lepszego nie przyszło do głowy.

Żołnierze, ignorując wyciągniętą ku nim dłoń Kate, otoczyli ich i pomagając sobie lufami karabinów, skierowali ich pod ścianę jednej z lepianek, wystawiając całą grupę na ciekawskie spojrzenia gapiów.

– Kosongo, Mbembelé, Sombe! – wrzasnęła Kate.

Żołnierze zawahali się wobec potęgi tych imion i poczęli o czymś rozprawiać w swoim języku. Ostatecznie jeden z nich udał się gdzieś po instrukcje, każąc przybyszom czekać przez długi czas, który wydał im się wiecznością.

Alexander zauważył, że niektórym tubylcom brakuje dłoni lub uszu. Zwrócił również uwagę na obrzydliwe wrzody na twarzach przyglądających im się z pewnej odległości dzieci. Brat Fernando wyjaśnił, że wywołuje je wirus przenoszony przez muchy i że zetknął się z podobnymi przypadkami w ruandyjskich obozach dla uchodźców.

– Najlepszym lekarstwem jest woda z mydłem, ale tego najwyraźniej tu brakuje – dodał.

– Przecież ksiądz mówił, że tutejsi misjonarze prowadzą punkt medyczny – zauważył Alexander.

– Te wrzody nie wróżą niczego dobrego, mój chłopcze. Gdyby moi bracia tu byli, te dzieci tak by nie wyglądały – odparł zaniepokojony misjonarz.

Zapadła już ciemna noc, gdy wrócił żołnierz, który poszedł po instrukcje. Otrzymał polecenie, by zaprowadzić ich do Drzewa Słów, gdzie rozpatrywano sprawy najwyższej wagi. Żołnierze nakazali im pozbierać swoje rzeczy i udać się za nimi.

Tłum rozstąpił się, robiąc im miejsce, i grupa cudzoziemców przeszła na główny plac wioski. Na środku tego placu rosło wspaniałe drzewo, którego gałęzie, rozchodząc się wokół, tworzyły coś w rodzaju wielkiego parasola. Pień miał około trzech metrów średnicy, grube korzenie powietrzne spływały z korony drzewa jak długaśne macki i zanurzały się w ziemi. Tam właśnie oczekiwał ich potężny Kosongo.

Siedział w ustawionym na podwyższeniu staromodnym fotelu w stylu francuskim, z pozłacanego drewna, obitym czerwonym pluszem i z powyginanymi nogami. Po obu bokach fotela sterczały słoniowe kły, podłoga usłana była lamparcimi skórami. Ten tron otaczały drewniane posągi o upiornych twarzach oraz kukły używane do rytuałów czarnej magii. Trzech muzyków odzianych w niebieskie wojskowe kurtki, ale bez spodni i butów, uderzało jednym kijem o drugi. Kopcące pochodnie i dwa ogniska rozświetlały mrok nocy, co sprawiało, że całość robiła wrażenie teatralnej dekoracji.

Kosongo miał na sobie płaszcz przetykany muszlami, piórami oraz innymi dziwacznymi przedmiotami, takimi jak kapsle od butelek, rolki filmu czy naboje. Choć samo to okrycie musiało ważyć z górą czterdzieści kilo, król na dodatek miał na głowie imponujący, wysoki na metr kapelusz ozdobiony czterema złotymi rogami symbolizującymi siłę i męstwo. Obwieszony był ponadto naszyjnikami z lwich kłów i licznymi amuletami, a w pasie był przewiązany skórą pytona. Twarz przesłaniała mu woalka ze szklanych paciorków i kulek złota. Laska z litego złota, z głową małpy zamiast rączki, służyła mu za berło lub kostur. Zwisała z niej rzeźbiona w subtelne wzory kość, która rozmiarami i kształtem przypominała ludzką piszczel. Przybysze domyślili się, że był to właśnie Ipemba-Afua, talizman, o którym wspominali Pigmeje. Król miał na palcach pokaźne złote sygnety w kształcie zwierząt, a jego ręce pokryte były aż po łokcie grubymi bransoletami z tego samego metalu. Kosongo wyglądał równie okazale jak angielscy władcy w dzień koronacji, choć styl był nieco inny.

Strażnicy i dworzanie ustawili się półkolem wokół tronu. Zaliczali się do Bantu, podobnie jak reszta mieszkańców wioski, król natomiast należał najwyraźniej do tej samej szlachetnej rasy co żołnierze. Ponieważ siedział, trudno było określić jego wzrost, wyglądał jednak na olbrzyma, choć do wrażenia tego mogły się również przyczynić rozmiary płaszcza i kapelusza. Nigdzie nie było widać komendanta Maurice'a Mbembelé ani czarownika Sombe.

Kobiety i Pigmeje nie wchodzili w skład królewskiego dworu, ale za męską świtą stało około dwudziestu młodych kobiet, które różniły się od reszty mieszkańców Ngoubé jaskrawymi strojami oraz ciężką biżuterią ze złota. W migoczącym świetle pochodni żółty metal odbijał się wyraźnie na tle ich ciemnej skóry. Niektóre trzymały na rękach niemowlęta, większe dzieci baraszkowały tuż obok. Cudzoziemcy domyślili się, że mają przed sobą królewską rodzinę, i uderzył ich fakt, że żony władcy wydawały się równie potulne jak Pigmeje. Ich pozycja społeczna napełniała je najwyraźniej lękiem, a nie dumą. Brat Fernando poinformował ich, że w Afryce poligamia jest na porządku dziennym, a liczba żon i dzieci świadczy o zamożności i prestiżu. W przypadku władcy oznacza to, że im więcej ma on potomków, tym lepiej powodzi się jego poddanym. Pod tym względem, podobnie jak pod wieloma innymi, chrześcijaństwo i zachodnia kultura nie wpłynęły na zmianę obyczajów. Misjonarz podejrzewał, że te kobiety zostały żonami Kosongo wbrew swej woli, najprawdopodobniej nikt ich nie pytał o zdanie.

Czterech wysokich żołnierzy szturchnęło przybyszów, nakazując im paść na twarz przed królem. Kate próbowała podnieść wzrok, ale cios w głowę przywołał ją od razu do porządku. Leżeli tak bez ruchu przez wiele minut, poniżeni, drżąc ze strachu, krztusząc się pyłem zalegającym na placu, aż w końcu stukot patyków, na których wygrywali muzycy, urwał się i usłyszeli metaliczny dźwięk. Jeńcy odważyli się zerknąć w stronę tronu: dziwaczny monarcha potrząsał trzymanym w ręce złotym dzwoneczkiem.

Gdy echo dzwonka ucichło, jeden z doradców wystąpił z szeregu i król szepnął mu coś na ucho. Dworzanin zwrócił się do cudzoziemców w języku będącym mieszaniną francuskiego, angielskiego oraz języków bantu, oświadczając na wstępie, że Kosongo został wybrany przez Boga i że to Bóg zlecił mu misję rządzenia. Podróżni na powrót zakopali nosy w kurzu – nie mieli najmniejszej ochoty podawać w wątpliwość tego stwierdzenia. Zrozumieli, że mają do czynienia z Królewskimi Ustami, pośrednikiem, o którym wspomniał im Beyé-Dokou. Herold zapytał, co sprowadza ich do królestwa znakomitego władcy. Jego groźny ton nie pozostawiał wątpliwości, co myśli o ich wizycie. Nie odpowiedzieli. Tylko Kate i brat Fernando zrozumieli jego słowa, byli jednak zastraszeni, nie znali protokołu i bali się popełnić jakąś niestosowność; być może było to tylko pytanie retoryczne i Kosongo nie spodziewał się odpowiedzi.

Król odczekał kilka sekund w całkowitej ciszy, po czym jeszcze raz potrząsnął dzwoneczkiem, co zostało odebrane przez poddanych jako rozkaz. Cała wioska, z wyjątkiem Pigmejów, otoczyła dziwnych przybyszów, krzycząc i wygrażając im pięściami. Co ciekawe, nie wyglądało to wcale na manifestację gniewu ludu, a raczej na teatralne przedstawienie odegrane przez marnych aktorów. Tłum w najmniejszym stopniu nie okazywał niezadowolenia, niektórzy uczestnicy uśmiechali się nawet pod nosem. Całą tę zbiorową maskaradę zakończyli nieoczekiwanie uzbrojeni w broń palną żołnierze, oddając salwę w powietrze, co wywołało popłoch na placu. Dorośli, dzieci, małpy, psy i kury rozbiegli się po wiosce w poszukiwaniu schronienia i pod drzewem pozostali tylko król, jego nieliczny dwór, wystraszony harem i jeńcy, którzy leżeli na ziemi, zakrywając głowę ramionami, przekonani, że wybiła ich ostatnia godzina.

Stopniowo spokój zaczął powracać do wsi. Gdy wokół zapanowała cisza, Królewskie Usta powtórzyły pytanie. Kate Cold podniosła się na kolana, usiłując zachować w tej pozycji tyle dumy, na ile pozwalały jej stare kości, i pamiętając, by jej głowa cały czas była poniżej głowy wybuchowego monarchy, jak zalecił im Beyé-Dokou, zwróciła się do herolda zdecydowanym głosem, starając się go jednak nie prowokować.

– Jesteśmy dziennikarzami i fotografami – powiedziała, omiatając jednym ruchem ręki swoich towarzyszy.

Król szepnął coś do swego pomocnika, a ten powtórzył słowa monarchy:

– Wszyscy?

– Nie, Jego Arcyłagodna Wysokość. Ta dama jest właścicielką samolotu, który nas tu przywiózł, a jegomość w okularach jest misjonarzem – wyjaśniła Kate, wskazując na Angie i na brata Fernanda. Po czym, chcąc uniknąć pytania o Alexandra i Nadię, dodała: – Przybyliśmy z dalekich stron, by przeprowadzić wywiad z Jego Arcyoryginalną Wysokością, bowiem jego sława przekroczyła granice i rozniosła się po świecie.

Kosongo, który najwyraźniej znał francuski lepiej niż Królewskie Usta, utkwił wzrok w pisarce, wykazując głębokie zaciekawienie połączone z niedowierzaniem.

– Co masz na myśli, stara kobieto? – zapytał za pośrednictwem swego dworzanina.

– Za granicą istnieje wielkie zainteresowanie osobą Jego Arcywysokiej Wysokości.

– A to dlaczego? – zapytały Królewskie Usta.

– Jego Arcyabsolutna Wysokość zdołał zaprowadzić w tym rejonie pokój, ład i dobrobyt. Dotarły do nas wieści, że jesteście mężnym wojownikiem, znana jest także wasza wiedza, bogactwo i posłuch, jakim się cieszycie. Mówi się, że jesteście równie potężni jak starożytny król Salomon.

Kate brnęła dalej, jąkając się, ponieważ od dwudziestu lat nie miała okazji mówić po francusku, i plącząc się we własnych myślach, nie wierzyła bowiem do końca w powodzenie swojego planu. Żyli przecież w dwudziestym pierwszym wieku: nie było już na świecie tych znanych z filmideł barbarzyńskich królów od siedmiu boleści, którzy wpadali w popłoch na widok zaćmienia słońca. Pomyślała, że Kosongo mógł wydawać się nieco staromodny, ale na pewno nie był głupcem: aby go przekonać, nie wystarczyłoby zaćmienie słońca. Doszła jednak do wniosku, że – podobnie jak większość ludzi posiadających władzę – był spragniony pochlebstw. Nie miała co prawda w zwyczaju podlizywać się nikomu, ale jej długie życie nauczyło ją, że człowiek jest gotowy uwierzyć nawet w najbardziej naciągany komplement. Nie pozostało jej nic innego, jak zaufać, że i Kosongo połknie ten banalny haczyk.

Jej obawy rozwiały się bardzo szybko, ponieważ taktyka wychwalania króla odniosła oczekiwane rezultaty. Kosongo był przeświadczony o swoim boskim pochodzeniu. Przez lata nikt nie kwestionował jego władzy, życie i śmierć poddanych zależały od jego widzimisię. Uznał za naturalne, że ekipa dziennikarzy przemierzyła pół świata, by przeprowadzić z nim wywiad; dziwił się tylko, że nastąpiło to dopiero teraz. Postanowił przyjąć ich tak, jak na to zasługiwali.

Kate Cold zastanawiała się, skąd pochodziły takie ilości złota, wioska była bowiem jedną z najbiedniejszych, jakie kiedykolwiek widziała. Jakie jeszcze bogactwa znajdowały się w rękach króla? Co łączyło Kosonga z komendantem Mbembelé? Zapewne obaj zamierzali pewnego dnia zniknąć, by nacieszyć się zgromadzoną fortuną w miejscu bardziej atrakcyjnym niż ten labirynt mokradeł i buszu. Tymczasem mieszkańcy Ngoubé żyli w nędzy, odcięci od świata, pozbawieni prądu, czystej wody, oświaty i leków.

ROZDZIAŁ 7

W niewoli u Kosonga

Kosongo potrząsnął dzwoneczkiem, ręką przywołując mieszkańców wioski, kryjących się ciągle za lepiankami i drzewami. Nastawienie żołnierzy do cudzoziemców uległo zmianie, schylili się nawet, by pomóc im wstać, i przynieśli specjalnie dla nich trójnożne ławeczki. Tubylcy zbliżyli się ostrożnie.

– Zabawa! Muzyka! Jedzenie! – nakazał Kosongo za pośrednictwem Królewskich Ust, dając znak przerażonym cudzoziemcom, że mogą zająć miejsca na ławeczkach.

Twarz ukryta pod woalką z paciorków zwróciła się ku Angie. Czując na sobie świdrujące spojrzenie, pilotka spróbowała schować się za plecami towarzyszy, ale przeszkodziły jej w tym jej wydatne kształty.

– Chyba na mnie patrzy. Jego wzrok nie zabija, jak twierdzą miejscowi, ale mam wrażenie, jakby mnie nim rozbierał – szepnęła w stronę Kate.

– Może chce cię włączyć do swojego haremu – zażartowała pisarka.

– Po moim trupie!

Kate przyznała w myślach, że pod względem urody Angie mogła konkurować z każdą z małżonek Kosonga. Choć była od nich starsza – afrykańskie dziewczęta bardzo wcześnie wychodzą za mąż i pilotkę uważano za kobietę posuniętą w latach – nadal zawracała mężczyznom w głowach swoją wysoką sylwetką i pulchnymi kształtami, bardzo białymi zębami oraz jędrną skórą. Pisarka wydobyła z plecaka jedną ze swoich bezcennych butelek wódki i postawiła ją u stóp władcy, ale nie zrobiło to na nim większego wrażenia. Pogardliwym gestem Kosongo zezwolił swoim poddanym zrobić użytek z tego skromnego podarunku. Butelka poczęła krążyć wśród żołnierzy. Zaraz potem król wydobył z fałdów płaszcza karton papierosów i żołnierze rozdali je mężczyznom z wioski, po jednym na głowę. Kobiety, uważane za pośledni gatunek ludzi, zostały pominięte. Cudzoziemców również nie poczęstowano, ku rozpaczy Angie, której brak nikotyny dawał się już we znaki.

Królewskie małżonki nie były lepiej traktowane niż reszta kobiecej społeczności Ngoubé. Zadanie trzymania ich w ryzach powierzono surowemu staruchowi uzbrojonemu w cienką bambusową trzcinę, którą okładał je po łydkach, kiedy tylko naszła go ochota. Najwyraźniej publiczne znęcanie się nad królowymi nie było tu źle widziane.

Gdy brat Fernando zebrał się na odwagę i zapytał o swoich towarzyszy, Królewskie Usta odpowiedziały, że w Ngoubé nigdy nie było misjonarzy. Dodał, iż od lat nikt nie odwiedzał wioski, z wyjątkiem pewnego antropologa, który przybył tu, aby mierzyć głowy Pigmejom, ale umknął po kilku dniach, nie mogąc znieść tutejszego klimatu i moskitów.

– Ani chybi chodzi o Ludovica Leblanca – westchnęła Kate.

Przypomniała sobie, że Leblanc, jej wróg numer jeden i wspólnik w Fundacji Diamentu, podsunął jej kiedyś swój artykuł o Pigmejach z lasów równikowych, opublikowany w jakimś czasopiśmie naukowym. Zdaniem Leblanca plemię Pigmejów cieszy się największą wolnością i równouprawnieniem spośród wszystkich znanych mu społeczności. Mężczyźni i kobiety współpracują ze sobą we wszystkich dziedzinach życia, małżonkowie wyruszają razem na polowania i razem opiekują się dziećmi. Pigmeje nie uznają hierarchii, znają jedynie trzy funkcje honorowe: wodza, szamana i najlepszego myśliwego, choć godności te wiążą się raczej z obowiązkami niż z władzą i przywilejami. Nie istnieje podział na kobiety i mężczyzn, młodych i starych, dzieci nie muszą słuchać się rodziców. Nie stosują wobec siebie przemocy. Żyją w grupach rodzinnych, nikt nie wyróżnia się majątkiem, wytwarzają tylko tyle, ile danego dnia potrzebują. Nie kwapią się do gromadzenia dóbr, ponieważ gdy tylko ktoś wchodzi w posiadanie czegokolwiek, rodzina ma prawo mu to odebrać. Dzielą się wszystkim. Naród ten nade wszystko ceni sobie niezależność, nawet osadnicy europejscy nie zdołali go sobie podporządkować, choć ostatnimi czasy Bantu zmienili wielu Pigmejów w niewolników.

Kate nigdy nie była pewna, ile prawdy zawierają prace naukowe Leblanca, ale intuicja podpowiedziała jej, że w przypadku Pigmejów nadęty profesor mógł mieć sporo racji. Po raz pierwszy Kate pożałowała, że nie ma go przy sobie. Sprzeczki z profesorem dodawały jej życiu pikanterii, dzięki nim utrzymywała w formie swój cięty język, nie powinna więc zbyt długo przebywać z dala od Leblanca, jeśli nie chce, by złagodniał jej charakter. Nic tak nie przerażało leciwej pisarki jak fakt, że mogłaby się zamienić w dobroduszną staruszkę.

Brat Fernando był przekonany, że Królewskie Usta kłamały, odpowiadając na jego pytania o zaginionych misjonarzy, i nie dawał za wygraną, aż w końcu Angie i Kate musiały przypomnieć mu o protokole. Temat misjonarzy wyraźnie drażnił króla. Kosongo przypominał bombę zegarową, która mogła wybuchnąć w każdej chwili, a oni znajdowali się w polu rażenia.

Gości podjęto winem palmowym, liśćmi podobnymi do szpinaku i puddingiem z manioku, podano również kosz olbrzymich szczurów upieczonych na ognisku i podlanych olejem o pomarańczowawej barwie, wytłaczanym z nasion palmy. Alexander przymknął oczy, myśląc z rozczuleniem o sardynkach w puszce leżącej na dnie plecaka, ale jego babcia przywróciła go do rzeczywistości solidnym szturchańcem. Król zapewne nie lubił, gdy jego biesiadnicy grymasili przy stole.

– Kate, przecież to szczury! – zawołał Alexander, próbując zapanować nad odruchem wymiotnym.

– Nie bądź taki wybredny. Smakują jak kurczaki – odparła babcia.

– To samo mówiłaś o tamtym amazońskim wężu i nie była to prawda – przypomniał jej wnuk.

Wino palmowe było strasznie słodkim, obrzydliwym płynem, którego przybysze spróbowali z grzeczności, ale nie zdołali przełknąć. Natomiast żołnierze i pozostali mężczyźni z wioski wlewali je w siebie litrami i wkrótce wszyscy byli pijani jak bele. Nie mogli już pilnować jeńców, ale ci i tak nie mieli dokąd uciekać, dokoła była dżungla, a w niej czekały trujące wyziewy bagien i dzikie bestie. Wbrew oczekiwaniom opiekane szczury i liście okazały się całkiem zjadliwe, w przeciwieństwie do maniokowego puddingu, który smakował jak chleb namoczony w mydlinach. Byli jednak bardzo głodni i pochłonęli wszystko, nie wybrzydzając. Nadia ograniczyła się do gorzkawego szpinaku, natomiast Alexander, ku własnemu zdziwieniu, z prawdziwą przyjemnością obgryzł kilka szczurzych udek. Jego babcia miała rację: smakowały jak kurczak, ściślej mówiąc, jak wędzony kurczak.

Po chwili Kosongo ponownie potrząsnął dzwoneczkiem.

– Teraz chcę moich Pigmejów! – krzyknęły Królewskie Usta do żołnierzy, po czym dodały, zwracając się do gości: – Mam wielu Pigmejów, są moimi niewolnikami. Nie zaliczają się do ludzi, żyją w lesie jak małpy.

Wniesiono na plac bębny różnej wielkości, niektóre tak ogromne, że musiały je dźwigać dwie osoby, kilka zrobionych było ze skór naciągniętych na tykwy, a nawet z zardzewiałych beczek po benzynie. Na rozkaz żołnierzy nieliczna grupka Pigmejów, ta sama, która przyprowadziła cudzoziemców do osady i która dotychczas trzymała się z boku, została popchnięta ku instrumentom. Pigmeje podchodzili do swoich stanowisk ze spuszczonymi głowami, nieufnie, bojąc się jednak sprzeciwić.

– Grą i tańcem muszą zaklinać przodków, aby zagnali w ich sieci słonia. O świcie wyruszają na łowy i nie mogą wrócić z pustymi rękami – wyjaśnił Kosongo za pośrednictwem Królewskich Ust.

Beyé-Dokou uderzył na próbę w bębny, jakby starał się rozgrzać i znaleźć odpowiednią nutę, reszta zaraz do niego dołączyła. Twarze muzyków zaczęły się zmieniać, ożywiły się, oczy im rozbłysły, ciała podrygiwały w ślad za dłońmi, dźwięki stawały się coraz głośniejsze, a ich tempo narastało. Zdawało się, że nie potrafią się oprzeć czarowi muzyki, jaką tworzyli. Ich głosy zabrzmiały nadzwyczajnym śpiewem, który przez chwilę falował w powietrzu jak wąż, po czym urywał się i przechodził w kontrapunkt. Bębny ożyły i poczęły rywalizować między sobą, nakładając się, wibrując, zarażając noc własną gorączką. Alexander ocenił, że pół tuzina orkiestr perkusyjnych z elektrycznymi wzmacniaczami nie mogłoby im dorównać. Swoimi prymitywnymi instrumentami Pigmeje odtwarzali głosy przyrody, niektóre subtelne jak szmer wody między kamieniami lub skok gazeli, inne ogłuszające jak stąpnięcia słonia, grzmot czy tętent pędzących bawołów; jeszcze inne były miłosną skargą, bitewną wrzawą i jękami bólu. Natężenie i tempo wzrastały, muzyka osiągała apogeum, po czym zaczynała cichnąć, by w końcu przemienić się w ledwo słyszalne westchnienie. Sekwencje dźwięków następowały po sobie, nigdy się nie powtarzając, każda z nich równie wspaniała, pełna uroku i emocji, jakich dostarczać potrafią jedynie najlepsi muzycy jazzowi.

Na kolejny znak Kosonga przyprowadzono kobiety, których goście dotychczas nie widzieli. Przetrzymywano je w zagrodach dla bydła położonych przy wejściu do wioski. Były to młodziutkie Pigmejki odziane jedynie w spódniczki z rafii. Szły niechętnie, wyraźnie upokorzone, podczas gdy strażnicy, krzycząc, wydawali im rozkazy i grozili. Na ich widok muzycy zastygli w bezruchu, bębny zamilkły i przez chwilę w lesie słychać było jedynie ich echo.

Strażnicy unieśli kije, a wtedy kobiety skuliły się i przylgnęły do siebie w obronnym geście. W tym samym momencie instrumenty odezwały się z nową siłą. Na oczach bezsilnych przybyszów rozegrał się niemy dialog pomiędzy kobietami a muzykami. Podczas gdy mężczyźni walili w bębny, dając upust całej gamie ludzkich uczuć, od gniewu i cierpienia po miłość oraz tęsknotę,

Pigmejki tańczyły w kręgu, kołysząc rafiowymi spódniczkami, unosząc ramiona i tupiąc nagimi stopami, odpowiadając ruchami ciała i śpiewem na bolesne nawoływania swoich towarzyszy. Przedstawienie nawiązywało do najbardziej pierwotnych uczuć i przesycone było cierpieniem trudnym do zniesienia.

Nadia skryła twarz w dłoniach. Alexander objął ją mocno i przytrzymał, bojąc się, by nie wyskoczyła na środek placu i nie próbowała przerwać tego okrutnego przedstawienia. Kate przysunęła się do nich i nakazała im ostrożność, jeden nieopatrzny ruch mógł ich zgubić. Wystarczyło spojrzeć na Kosonga, by zrozumieć, co miała na myśli: król wyglądał tak, jakby coś w niego wstąpiło. Siedział na francuskim fotelu służącym mu za tron i kolebał się w rytm bębnów jak porażony prądem. Ozdoby na jego płaszczu i kapeluszu pobrzękiwały, stopy poruszały się w takt muzyki, ramiona dygotały, wprawiając w ruch złote bransolety. Wielu członków królewskiej świty zaczęło również tańczyć, po chwili dołączyli do nich nawet spojeni alkoholem żołnierze, wreszcie pozostali mieszkańcy wioski. Osada zamieniła się w pandemonium wijących się i pląsających postaci.

Zbiorowy szał ustal równie nagle, jak się rozpoczął. Muzycy, i tylko oni, dostrzegli dany im znak i bębny zamilkły. Pigmejki zakończyły swój żałosny taniec, zbiły się w gromadkę i wycofały do zagród. Gdy muzyka bębnów urwała się, Kosongo zamarł, a reszta mieszkańców wioski wraz z nim. Tylko pot spływający po nagich ramionach władcy stanowił wspomnienie jego tańca na tronie. Przybysze spostrzegli wówczas na jego rękach rytualne blizny, podobne do tych, jakie nosili czterej żołnierze, a na bicepsach takie same jak u tamtych opaski z lamparciej skóry. Dworzanie rzucili się, by poprawić przekrzywiony kapelusz i przyciężki płaszcz, który zsunął się z ramion monarchy.

Królewskie Usta wyjaśniły przybyszom, że jeśli zostaną dłużej, będą mieli okazję zobaczyć *Ezenji*, taniec umarłych, wykonywany podczas ceremonii pogrzebowych tudzież egzekucji. Słowo *Ezenji* było zarazem imieniem wielkiego ducha. Jak można było oczekiwać, ta oferta nie spodobała się podróżnikom. Zanim ktokolwiek ośmielił się zapytać o szczegóły, ten sam osobnik oznajmił im w imieniu króla, że zostaną odprowadzeni do swoich komnat.

Czterech mężczyzn chwyciło platformę, na której stał tron, i poniosło Kosonga na ramionach w kierunku królewskiej rezydencji. Za nimi podreptały jego żony, dźwigając słoniowe kły i prowadząc dzieci. Tragarze byli tak pijani, że tron chwiał się niebezpiecznie.

Kate i jej przyjaciele chwycili swoje rzeczy i ruszyli za dwoma Bantu, którzy szli przodem, przyświecając sobie pochodniami. Towarzyszył im uzbrojony w karabin żołnierz z opaską z lamparciej skóry. Wino palmowe i dziki taniec wprawiły ich w dobry humor: śmiali się, żartowali i poklepywali serdecznie po plecach. Nie uspokoiło to bynajmniej grupki podróżników, było bowiem jasne, że uważano ich za jeńców.

Przybytek określony jako „komnaty" był w rzeczywistości prostokątną lepianką krytą słomą, większą od pozostałych domów, położoną na drugim końcu wsi i przylegającą do dżungli. Posiadała ona dwa otwory w ścianie, spełniające rolę okien, oraz wąskie wejście pozbawione drzwi. Mężczyźni niosący pochodnie oświetlili wnętrze i tysiące karaluchów zaroiło się na klepisku i rozbiegło po kątach, wstrętem przejmując członków ekspedycji, którzy mieli tu spędzić noc.

– Te stworzenia są najstarszymi mieszkańcami naszej planety, żyją na niej od trzystu milionów lat – powiedział Alexander.

– Co wcale nie dodaje im uroku – zauważyła Angie.

– Karaluchy są zupełnie niegroźne – dodał Alexander, chociaż nie był do końca pewien tego, co mówi.

– Czy nie ma tu aby węży? – chciał wiedzieć Joel González.

– Pytony nie atakują w ciemności – pokpiwała sobie z niego Kate.

– Co tak strasznie śmierdzi? – zapytał Alexander.

– Szczurzy mocz lub odchody nietoperzy – wyjaśnił niepo-ruszony misjonarz, który miał podobne doświadczenia, gdy był w Ruandzie.

– Podróżowanie z tobą jest prawdziwą przyjemnością, babciu! – zachichotał Alexander.

– Nie nazywaj mnie babcią. Jeśli ci się tu nie podoba, przenieś się do Sheratona.

– Oddałabym wszystko za jednego papierosa – jęknęła Angie.

– Masz okazję raz na zawsze zerwać z nałogiem – rzuciła Kate, choć bez większego przekonania: ona też tęskniła za swoją starą fajką.

Jeden z Bantu zapalił zatknięte na ścianach pochodnie, a żołnierz nakazał im nie wychodzić aż do rana. Na wypadek gdyby nie zrozumieli jego słów, pogroził im wymownie karabinem.

Brat Fernando zapytał o najbliższą latrynę, na co żołnierz parsknął śmiechem: pytanie wydało mu się wyjątkowo zabawne. Jednak gdy misjonarz powtórzył pytanie, stracił cierpliwość i jednym uderzeniem kolby powalił go na ziemię. Kate, która nieraz musiała sobie radzić z podobnymi typami, zdecydowanie zagrodziła drogę brutalowi i zanim ten zdążył zamachnąć się i na nią, wręczyła mu puszkę brzoskwiń w syropie. Żołnierz przyjął łapówkę i wyszedł, a po kilku minutach wrócił z plastikowym wiadrem, które wręczył Kate bez słowa wyjaśnienia. Ten wysłużony kubeł miał być ich jedynym urządzeniem sanitarnym.

– Co mogą oznaczać opaski z lamparciej skóry i blizny na ramionach? Mają je wszyscy czterej żołnierze – zastanawiał się Alexander.

– Szkoda, że nie możemy skontaktować się z Leblankiem. On na pewno coś by na ten temat wiedział – stwierdziła Kate.

– Te typy należą prawdopodobnie do Bractwa Lamparta. Chodzi o tajne stowarzyszenie istniejące w wielu krajach Afryki – powiedziała Angie. – Jego członkowie, werbowani we wczesnej młodości, znaczeni są nacięciami na skórze, by mogli się łatwo rozpoznać. Są najemnymi wojownikami, walczą i zabijają dla pieniędzy. Odznaczają się podobno wyjątkowym okrucieństwem. Składają przysięgę, która zobowiązuje ich do pomagania sobie przez całe życie oraz do zabijania wspólnych wrogów. Nie zakładają rodziny, rezygnują z jakichkolwiek związków, dla tych ludzi liczą się jedynie ich bracia spod znaku lamparta.

– Solidarność negatywna. Każdy, nawet najbardziej barbarzyński występek któregoś z członków grupy jest dla nich usprawiedliwiony – wyjaśnił brat Fernando. – To przeciwieństwo solidarności pozytywnej, która łączy ludzi we wspólnym wysiłku budowania, zdobywania pożywienia, uprawy ziemi, opieki nad słabszymi i tworzenia lepszego jutra. Solidarność negatywna natomiast jest dla tych, którzy lubują się w wojnie, przemocy i zbrodni.

– Widzę, że jesteśmy w dobrych rękach... – westchnęła Kate, wyraźnie zmęczona.

Grupa przyjaciół, obserwowana przez stojących przy wejściu i uzbrojonych w maczety Bantu, poczęła się przygotowywać do spędzenia niezbyt przyjemnej nocy. Żołnierz już sobie poszedł. Jeszcze dobrze nie zdążyli ułożyć się na klepisku, z plecakami zamiast poduszek, a już zaczęły po nich biegać karaluchy. Musieli pogodzić się z owadzimi nóżkami pakującymi się im do uszu, drapiącymi w powieki i łaskoczącymi pod ubraniem. Angie i Nadia zawiązały sobie na głowie chusteczki, bojąc się, że karaluchy zechcą zagnieździć się w ich długich włosach.

– Tam, gdzie urzędują karaluchy, nie ma węży – powiedziała Nadia.

Myśl ta dopiero co przyszła jej do głowy, ale wywołała zamierzony efekt: Joel González, który do tej pory był kłębkiem nerwów, uspokoił się jak za dotknięciem czarodziejskiej różdżki, szczęśliwy, że karaluchy dotrzymują mu towarzystwa.

Gdy sen zmorzył w końcu pozostałych członków wyprawy, Nadia postanowiła działać. Jej przyjaciele byli tak zmęczeni, że udało im się zasnąć, nie bacząc na szczury, karaluchy i napawające grozą sąsiedztwo ludzi Kosonga. Jednak Nadia nie mogła przestać myśleć o występie Pigmejów i postanowiła zbadać, co dzieje się w zagrodach, do których udały się kobiety po zakończeniu tańca. Ściągnęła buty i sięgnęła po latarkę. Para wartowników siedzących przy wejściu z maczetami na kolanach nie była dla niej przeszkodą, od trzech lat bowiem ćwiczyła się w sztuce bycia niewidzialną, którą podpatrzyła u amazońskich Indian. Ludzie z Mgły potrafili stawać się niewidzialni, ich pomalowane ciała zlewały się z otoczeniem, poruszali się miękko i bezszelestnie, zachowując koncentrację tak głęboką, że nie mogła ona trwać zbyt długo. Dzięki sztuce znikania Nadia wyszła cało z niejednych tarapatów, dlatego wciąż się w niej ćwiczyła. Wchodziła i wychodziła z klasy, nie zwracając uwagi kolegów i nauczycieli, tak że nikt nawet nie wiedział, czy danego dnia była w szkole. Jeździła zatłoczonym nowojorskim metrem zupełnie niezauważona, a żeby się o tym przekonać, stawała zaledwie kilka centymetrów przed którymś z pasażerów i wpatrywała się w niego z uporem, nie budząc żadnej reakcji z jego strony. Kate Cold, u której dziewczynka mieszkała, była główną ofiarą tych nieustających ćwiczeń, nigdy bowiem do końca nie wiedziała, czy jej podopieczna stoi obok niej, czy się jej tylko wydaje.

Nadia nakazała swojej małpce zostać w lepiance, ponieważ nie mogła zabrać jej ze sobą, po czym wzięła kilka głębokich oddechów, by się uspokoić, i zaczęła się koncentrować. Gdy była już gotowa, jej ciało poczęło się poruszać jak zahipnotyzowane. Przeszła nad pogrążonymi we śnie towarzyszami, nie dotykając ich, i prześlizgnęła się ku wyjściu. Wartownicy, znudzeni i struci palmowym winem, postanowili pilnować jeńców na zmianę. Jeden z nich leżał teraz oparty o ścianę i chrapał, a drugi wpatrywał się niespokojnie w czarną ścianę lasu, obawiając się mieszkających tam duchów. Nadia wyszła za próg, a wtedy wartownik odwrócił się w jej stronę. Oczy obojga spotkały się na chwilę. Wartownikowi przez moment wydawało się, że ktoś stoi obok niego, ale wrażenie to minęło bardzo szybko, a uczucie niepohamowanej senności kazało mu ziewnąć. Pozostał na miejscu, z maczetą porzuconą na ziemi, walcząc ze snem, podczas gdy drobna sylwetka Nadii oddalała się od chaty.

Dziewczyna przeszła przez wieś w tej eterycznej postaci, niezauważona przez żadną z nielicznych osób, które nie spały. Minęła oświetlone pochodniami gliniane budynki, które składały się na królewską rezydencję. Jakaś rozbudzona małpa skoczyła z drzewa prosto pod nogi Nadii, zmuszając ją do powrotu do dawnej postaci, ale chwilę potem dziewczynce udało się na nowo skoncentrować i mogła iść dalej. Nie czuła własnego ciała, miała wrażenie, że unosi się w powietrzu. Dotarła wreszcie do celu – dwóch prostokątnych zagród zbudowanych z wbitych w ziemię pali połączonych lianami i skórzanymi pasami. Część każdej zagrody krył słomiany dach, reszta była odsłonięta. Na bramę nałożone były potężne drągi, które można było zdjąć tylko z zewnątrz. Nikt nie stał na straży.

Nadia obeszła zagrody, badając po omacku palisadę, bała się bowiem zapalić latarkę. Palisada była wysoka i mocna, choć ktoś zdeterminowany mógłby przez nią przejść, opierając stopy na sękach w drewnie i na węzłach. Nadia nie rozumiała, dlaczego Pigmejki nie próbują uciec. Kilkakrotnie okrążyła zagrody i upewniwszy się, że w pobliżu nikogo nie ma, postanowiła spróbować otworzyć jedną z bram. Będąc niewidzialna, musiała poruszać się bardzo ostrożnie, nie mogła zachowywać się jak zazwyczaj. Żeby zdjąć ciężką belkę, musiała wyjść z transu.

Wokół rozbrzmiewały nocne odgłosy: nawoływania zwierząt i ptaków, pomruki drzew i westchnienia wydobywające się z ziemi. Nadia pomyślała, że nie ma się co dziwić mieszkańcom, iż nie opuszczają wioski po zmroku: łatwo było przypisać te dźwięki siłom z zaświatów. Na próżno starała się mocować z bramą po cichu. Skrzypienie drewna sprowadziło kilka szczekających psów, ale Nadia przemówiła w ich języku i zwierzęta z miejsca zamilkły. Dziewczynce wydało się, że słyszy szloch dziecka, który jednak po chwili ustał. Jeszcze raz spróbowała podważyć ramieniem drąg, ale ten okazał się cięższy, niż się spodziewała. W końcu jednak zdołała zdjąć belkę ze wsporników, uchyliła bramę i wśliznęła się do środka.

Zdążyła już przyzwyczaić wzrok do ciemności i zobaczyła, że znajduje się na czymś w rodzaju dziedzińca. Nie wiedząc, co czeka na nią w głębi, ruszyła po cichu ku części pokrytej słomianym dachem, obmyślając plan ucieczki w razie niebezpieczeństwa. Doszła do wniosku, że zbyt dużo ryzykuje, działając po omacku i po chwili wahania zapaliła latarkę. Snop światła wydobył z ciemności widok tak nieoczekiwany, że Nadia krzyknęła i o mały włos nie upuściła latarki. Dwanaście lub piętnaście maleńkich postaci stało w głębi pomieszczenia, opierając się plecami o palisadę. Nadia wzięła je z początku za dzieci, ale bardzo szybko zdała sobie sprawę, że ma przed sobą kobiety, które tańczyły niedawno dla Kosonga. Choć wydawały się równie przerażone jak ona, nie pisnęły ani słowa, tylko wpatrywały się w nią szeroko otwartymi oczami.

– Ciiiii... – szepnęła Nadia, kładąc palec na ustach. – Nie zrobię wam krzywdy, przychodzę w przyjacielskich zamiarach – dodała w swoim ojczystym języku, po czym powtórzyła w innych, jakie znała.

Więźniarki nie zrozumiały wszystkiego, ale wyczuły dobre intencje gościa. Jedna z nich zrobiła krok naprzód, nie przestając się kulić i skrywać twarzy, i wyciągnęła przed siebie rękę. Nadia podeszła i dotknęła tej dłoni. Kobieta cofnęła się wystraszona, ale po chwili odważyła się posłać Nadii nieśmiałe spojrzenie i najwyraźniej uspokoił ją wygląd młodej cudzoziemki, bo uśmiechnęła się. Nadia ponownie wyciągnęła rękę, a Pigmejka zrobiła to samo – ich palce splotły się, fizyczny kontakt okazał się najbardziej wymownym sposobem porozumiewania się.

– Nadia, Nadia – przedstawiła się dziewczynka, wskazując na siebie.

– Jena – odpowiedziała Pigmejka.

Podeszły pozostałe kobiety, obstąpiły Nadię i poczęły dotykać ciekawie, szepcząc między sobą i śmiejąc się. Kiedy już odkryły ogólnoludzki język dotyku i gestów, reszta poszła gładko. Pigmejki wyjaśniły, że zostały oddzielone od swoich towarzyszy zmuszanych przez Kosonga do polowania na słonie, nie dla mięsa, ale dla kłów, które sprzedawał przemytnikom. Inna grupa niewolników pracuje w kopalni diamentów, położonej bardziej na północ. W ten właśnie sposób Kosongo zbija fortunę. W zamian za swoją pracę myśliwi otrzymują papierosy i trochę jedzenia i mogą też od czasu do czasu pobyć chwilę z rodziną. Gdy mają zbyt mało kości słoniowej lub diamentów, do akcji wkracza komendant Mbembelé. Lista kar jest długa, najlżejszą jest śmierć, najstraszniejszą – utrata dzieci, które są sprzedawane przemytnikom jako niewolnicy. Jena dodała, że w lesie zaczyna brakować słoni, Pigmeje muszą ich szukać coraz dalej. Myśliwych jest niewielu, a one nie mogą im teraz pomagać, jak to robiły wcześniej. Brak słoni zwiastuje pigmejskim dzieciom niepewny los.

Nadia nie wierzyła własnym uszom. Myślała, że niewolnictwo od dawna przestało istnieć, ale gesty Pigmejek mówiły same za siebie. Dopiero później Kate powiedziała jej, że w niektórych krajach utrzymuje się do dziś. Pigmeje uważani są za istoty egzotyczne i kupuje się ich do wykonywania uwłaczających prac lub, jeśli szczęście się do nich uśmiechnie, do zabawiania bogaczy lub do cyrku.

Więźniarki tłumaczyły, że to one wykonują w Ngoubé najcięższe prace: uprawiają ziemię, noszą wodę, sprzątają, a nawet stawiają lepianki. Marzą tylko o tym, by razem z rodziną powrócić do puszczy, gdzie ich plemię przez tysiąclecia cieszyło się wolnością. Nadia pokazała im na migi, że mogłyby się wymknąć, przechodząc przez ogrodzenie, ale one wyjaśniły, że dzieci są trzymane w sąsiedniej zagrodzie, pod opieką dwóch babć, i że nie zamierzają ich tu zostawić.

– A wasi mężowie? – zapytała Nadia.

Jena wytłumaczyła, że mieszkają w lesie i mają prawo odwiedzać wioskę, tylko gdy przynoszą dziczyznę, skóry lub kość słoniową. Powiedziała, że muzycy przygrywający na bębnach na zabawie wyprawionej przez Kosongo to ich mężowie.

ROZDZIAŁ 8

Święty amulet

Pożegnawszy się z Pigmejkami i obiecawszy im pomoc, Nadia wróciła do chaty tak, jak ją opuściła – stając się niewidzialna. Okazało się, że jeden wartownik odszedł, a drugi spał jak niemowlę, upojony winem palmowym, co jej bardzo ułatwiło sprawę. Prześlizgnęła się bezszelestnie jak wiewiórka do kąta, gdzie spał Alexander, obudziła go, przykrywając mu dłonią usta, po czym w kilku słowach opowiedziała o tym, czego się dowiedziała w zagrodzie dla niewolnic.

– To okropne, Jaguarze. Musimy coś zrobić.

– Na przykład co?

– Sama nie wiem. Przedtem Pigmeje mieszkali w lesie, utrzymując normalne kontakty z ludźmi z wioski. Działo się tak za rządów królowej Nany-Asante. Należała ona do innego plemienia i pochodziła z bardzo daleka, wierzono, że została zesłana przez bogów. Była znachorką, znała się na ziołach i egzorcyzmach. Podobno wcześniej w lesie pełno było szerokich ścieżek wydeptanych przez setki słoni, ale teraz pozostało niewiele tych zwierząt i puszcza pochłonęła ich szlaki. Tak jak mówił Beyé-Dokou, Pigmeje zamienili się w niewolników, gdy odebrano im magiczny amulet.

– Wiesz, gdzie go szukać?

– To ta rzeźbiona kość, która wisi na lasce Kosonga – wyjaśniła Nadia.

Rozprawiali przez długą chwilę, wysuwając różne pomysły, co jeden to bardziej ryzykowny. W końcu ustalili, że pierwszym krokiem będzie odzyskanie amuletu i przekazanie go prawowitym właścicielom, co przywróci im wiarę w siebie i odwagę. Może dzięki temu Pigmeje sami wpadną na pomysł, jak uwolnić swoje żony i dzieci.

– Jeśli zdobędziemy amulet, pójdę do lasu poszukać Beyé-Dokou – powiedział Alexander.

– Mógłbyś się zgubić.

– Moje totemiczne zwierzę przyjdzie mi z pomocą. Jaguar potrafi orientować się w każdym terenie i widzi w ciemnościach – odparł Alexander.

– Idę z tobą.

– Nie ma sensu ryzykować bez potrzeby, Orlico. W pojedynkę łatwiej będzie mi się poruszać.

– Nie powinniśmy się rozdzielać. Przypomnij sobie, co powiedziała Ma Bangesé: jeśli się rozdzielimy, zginiemy.

– I ty jej wierzysz?

– Owszem. Wizje, jakich doświadczyliśmy, są przestrogą: gdzieś czyha na nas trzygłowy potwór.

– Orlico, trzygłowe potwory nie istnieją.

– Jak mawiał szaman Walimai: „może tak, a może nie" – odparła Nadia.

– W jaki sposób zdobędziemy amulet?

– Borobá i ja bierzemy to na siebie – oświadczyła z pewnością siebie Nadia, jakby chodziło o coś dziecinnie prostego.

Małpka posiadała zdumiewający talent złodziejski, co w Nowym Jorku stało się prawdziwym problemem. Nadia musiała bez końca zwracać prawowitym właścicielom przedmioty, które zwierzątko przynosiło jej w prezencie. Jednak tym razem jego złe nawyki mogły się okazać prawdziwym błogosławieństwem. Borobá miała zwinne łapki, była mała i potrafiła działać po cichu. Najtrudniejszą częścią planu było wybadanie, gdzie trzymano amulet, oraz odwrócenie uwagi wartowników. Jena powiedziała Nadii, że talizman znajduje się w królewskiej rezydencji, widywała go tam bowiem, gdy sprzątała. Tej nocy cała wieś była pijana, a straże prawie nieobecne. Podczas przyjęcia nie widzieli wprawdzie zbyt wielu żołnierzy z bronią palną, tylko tych należących do Bractwa Lamparta, ale mogło być ich więcej. Nie wiedzieli, ilu ludzi liczył oddział Mbembelé, choć fakt, że komendant nie pojawił się na wieczornej fecie, mógł oznaczać, że chwilowo nie było go w wiosce. Nie mieli więc ani chwili do stracenia.

– Kate może się to nie spodobać, Jaguarze. Obiecaliśmy, że nie będziemy szukać guza – powiedziała Nadia.

– Już go znaleźliśmy. Zostawię jej kartkę z wiadomością, dokąd idziemy. Boisz się? – zapytał Alexander.

– Boję się iść z tobą, ale jeszcze bardziej boję się zostać w wiosce.

– Załóż buty, Orlico. Musimy zabrać latarkę, zapasowe baterie i przynajmniej jeden nóż. W lesie roi się od węży, chyba powinniśmy zabrać ampułkę z surowicą. Myślisz, że możemy pożyczyć rewolwer od Angie? – zastanowił się Alexander.

– Zamierzasz kogoś zastrzelić, Jaguarze?

– Oczywiście, że nie!

– A więc?

– Niech ci będzie. Idziemy bez broni – westchnął zrezygnowany Alex.

Pozbierali potrzebne im przedmioty, poruszając się po cichu pomiędzy plecakami i tobołkami towarzyszy. Szukając w apteczce Angie surowicy, natknęli się na środek usypiający dla zwierząt i Alexander, niewiele myśląc, wsadził go do kieszeni.

– Po co ci to? – spytała Nadia.

– Nie wiem, może się przydać.

Pierwsza wyszła Nadia, pokonała niezauważona niewielki odcinek oświetlony przez zatkniętą nad drzwiami pochodnię i skryła się w mroku. Zamierzała odwrócić uwagę strażników, by Alexander mógł się do niej przemknąć, ale nie było takiej potrzeby: wartownik nadal spał jak zabity, a jego kompan nie wrócił. Alex i Borobá dołączyli do niej bez żadnego problemu.

Królewska rezydencja, składająca się z kilku glinianych chat krytych słomą, sprawiała wrażenie tymczasowej. Jak na władcę obwieszonego od stóp do głów złotem, posiadającego liczny harem oraz domniemaną magiczną moc, „pałac" Kosongo był podejrzanie skromny. Alexander i Nadia domyślili się, że król nie zamierzał zagrzać długo miejsca w Ngoubé i dlatego nie zależało mu na wybudowaniu czegoś bardziej szykownego i wygodnego. Kiedy w okolicy wyczerpie się kość słoniowa i diamenty, Kosongo ucieknie jak najdalej stąd, by używać do woli swego bogactwa.

Budynki zajmowane przez harem odgrodzone były palisadą, na której mniej więcej co dziesięć metrów była zatknięta pochodnia, miejsce to było więc dobrze oświetlone. Pochodnie – kije owinięte szmatami nasączonymi żywicą – kopciły na potęgę, wydzielając gryzący zapach. Przed ogrodzeniem stał nieco większy budynek, ozdobiony czarnymi wzorami geometrycznymi, z bardzo szeroką i wysoką bramą. Domyślili się, że tam właśnie mieszka Kosongo, bowiem rozmiary drzwi pozwalały tragarzom wnieść platformę z władcą. Zakaz chodzenia po ziemi z całą pewnością nie obowiązywał w prywatnych apartamentach, w domowym zaciszu Kosongo chodził zapewne samodzielnie, miał odsłoniętą twarz i, jak każdy normalny człowiek, nie potrzebował pośrednika, by się porozumiewać. Tuż obok znajdował się inny prostokątny budynek, niski i podłużny, pozbawiony okien i połączony z królewskimi apartamentami korytarzem krytym słomą. Najprawdopodobniej była to kwatera żołnierzy.

Wokół rezydencji krążyło dwóch strażników Bantu, uzbrojonych w karabiny. Alexander i Nadia przyglądali im się z daleka dłuższą chwilę, po czym doszli do wniosku, że Kosongo nie obawiał się o swoje życie, bowiem ochrona królewskiej siedziby była śmiechu warta. Wartownicy, ciągle jeszcze odurzeni palmowym winem, robili obchód, zataczając się; kiedy tylko mieli ochotę, przystawali na papierosa, a gdy się mijali, ucinali sobie pogawędkę. Nadia i Alexander zobaczyli nawet, jak pociągali z butelki, która niewątpliwie zawierała alkohol. Nigdzie nie było widać żołnierzy z Bractwa

Lamparta, co ich nieco uspokoiło, ci bowiem wydawali się znacznie groźniejsi niż strażnicy Bantu. Mimo to ich pomysł, by wejść do budynku, nie wiedząc, co tam mogą zastać, zakrawał na szaleństwo.

– Zaczekasz tu na mnie, Jaguarze, ja pójdę pierwsza. Kiedy zahukam jak sowa, będzie to znak, że Borobá może wkroczyć do akcji – zarządziła Nadia.

Jej plan nie spodobał się Aleksowi, ale sam nie miał nic lepszego do zaproponowania. Nadia potrafiła poruszać się niezauważona, a i Borobá nie zwróciłaby niczyjej uwagi – w wiosce było pełno małp. Pożegnał się serdecznie z przyjaciółką, która zaraz zniknęła. Wytężył wzrok, by ją zobaczyć, i przez kilka sekund mu się to udawało, choć przypominała zaledwie zwiewną tkaninę falującą w ciemnościach. Mimo zdenerwowania Alexander uśmiechnął się, podziwiając skuteczność do perfekcji opanowanej przez Nadię sztuki znikania.

Nadia wykorzystała moment, gdy strażnicy przystanęli na papierosa, i zbliżyła się do jednego z okien królewskiej rezydencji. Bez żadnego wysiłku wskoczyła na parapet i zajrzała do środka. Panował tam mrok, który rozrzedzały jedynie promienie księżyca i światło pochodni wpadające przez pozbawione szyb i zasłon okna. Widząc, że wewnątrz nie ma nikogo, Nadia wślizgnęła się do pomieszczenia.

Strażnicy dopalili papierosy i po raz kolejny okrążyli królewską rezydencję. Pohukiwanie sowy położyło w końcu kres udręce Alexandra. Wypuścił małpkę, a ta ruszyła jak strzała w kierunku okna, w którym zniknęła jej pani. Przez kilka minut, dłużących się jak godziny, nic się nie wydarzyło. Nagle, jak za sprawą czarów, Nadia stanęła obok swego przyjaciela.

– Jak ci poszło? – zapytał Alex, powstrzymując się, by jej nie uściskać.

– Jak po maśle. Borobá zna się na tej robocie.

– Czy to znaczy, że znalazłaś amulet?

– Kosongo najprawdopodobniej dotrzymuje towarzystwa którejś ze swoich żon. Natknęłam się na jakichś mężczyzn śpiących pokotem na podłodze i kilku innych grających w karty. Widziałam tron, platformę, płaszcz, kapelusz, berło i dwa słoniowe kły. Znajdują się tam również skrzynie, w których król zapewne przechowuje złote ozdoby – wyjaśniła Nadia.

– A amulet?

– Wisiał na berle, ale nie mogłam go zdjąć, bo utraciłabym niewidzialność. Borobá się tym zajmie.

– Jak?

Nadia wskazała na okno, z którego zaczynał się wydobywać czarny dym.

– Podpaliłam płaszcz królewski – stwierdziła.

Niemal w tym samym momencie usłyszeli krzyki. Znajdujący się wewnątrz strażnicy rzucili się do ucieczki, z kwatery wybiegła liczna grupa żołnierzy i niebawem cała wieś była już na nogach, a przy rezydencji pojawiło się mnóstwo ludzi pędzących z wiadrami do pożaru. Borobá skorzystała z zamieszania, chwyciła amulet i wyskoczyła przez okno. Po chwili dołączyła do Nadii i Alexandra, po czym cała trójka oddaliła się w stronę lasu.

Pod sklepieniem z drzew panował niemal zupełny mrok. Choć Alexander przyzwał swoje totemiczne zwierzę, i posiadł jego zdolność widzenia w ciemnościach, poruszanie się przychodziło im z wielką trudnością. Była to pora węży i jadowitych gadzin, pora, gdy dzikie bestie wyruszają na poszukiwanie pożywienia, jednak najbardziej niebezpieczne były bagna: jeśli ktoś w nie wpadł, ginął bez śladu.

Alexander zapalił latarkę i rozejrzał się dookoła. Nie obawiał się, że ktoś z wioski dostrzeże światło – otaczała ich zwarta ściana lasu – ale musiał oszczędzać baterie. Wsłuchani w niemilknący szmer dżungli zapuścili się w gęstwinę, zmagając się z korzeniami i lianami, omijając kałuże i potykając się o niewidoczne przeszkody.

– I co teraz? – zapytał Alexander.

– Zaczekamy do świtu, Jaguarze, nie możemy iść dalej w tych ciemnościach. Która godzina?

– Dochodzi czwarta – odpowiedział chłopak, zerknąwszy na zegarek.

– Niebawem się rozjaśni i ruszymy w dalszą drogę. Jestem głodna, nie mogłam się przemóc, by spróbować szczurów – rzuciła Nadia.

– Gdyby był z nami brat Fernando, powiedziałby, że Bóg o nas nie zapomni – zaśmiał się Alexander.

Usadowili się w paprociach. Ich ubrania nasiąkły wilgocią, raniły ich kolce, robactwo obsiadło ich od stóp do głów. Czuli muśnięcia przebiegających obok zwierząt, bicie skrzydeł, ciężki oddech gleby. Alex, nauczony doświadczeniem z Amazonii, nie ruszał na żadną wyprawę bez zapalniczki, wiedział już, że pocieranie kamieni nie należy do najszybszych sposobów otrzymywania ognia. Spróbowali rozpalić maleńkie ognisko, by podsuszyć ubrania i odstraszyć drapieżniki, ale chrust był zbyt wilgotny i po wielu próbach dali za wygraną.

– Tutaj jest pełno duchów – powiedziała Nadia.

– Wierzysz w nie? – zapytał Alexander.

– Tak, choć się ich nie boję. Pamiętasz żonę szamana Walimai? Była dobrym duchem.

– Ale to było w Amazonii. Kto wie, jakie są tutejsze duchy. Nie bez powodu miejscowi tak się ich boją – powiedział Alex.

– Jeśli chciałeś mnie nastraszyć, udało ci się – odparła Nadia.

Alexander otoczył przyjaciółkę ramieniem i przygarnął do siebie, próbując ją ogrzać i podtrzymać na duchu. Gest ten, który do tej pory wydawał im się tak naturalny, nabrał teraz nowego znaczenia.

– Walimai dołączył nareszcie do swojej żony – rzuciła Nadia.

– Umarł?

– Tak, teraz oboje żyją w jednym świecie.

– Skąd wiesz?

– Pamiętasz, jak w Zakazanym Królestwie wpadłam do przepaści i zwichnęłam sobie bark? Walimai dotrzymywał mi towarzystwa, dopóki nie przybyłeś z Tensingiem i Dilem Bahadurem. Gdy tylko się pojawił, zrozumiałam, że jest już duchem i może wędrować po tym świecie i po innych – wyjaśniła Nadia.

– Był prawdziwym przyjacielem, wzywałaś go za pomocą gwizdka, a on zawsze przychodził – przypomniał Alexander.

– Jeśli znajdę się w potrzebie, przybędzie, tak jak przybył do Zakazanego Królestwa, by mi pomóc. Duchy podróżują daleko – zapewniła go Nadia.

Byli tak wyczerpani, że mimo strachu i niewygody zaczęli niebawem przysypiać, bo Alex spał bardzo krótko, a Nadia nie zmrużyła oka od dwudziestu czterech godzin. Przeżyli zbyt dużo wrażeń od chwili, gdy samolot Angie Ninderery utknął na plaży. Nie wiedzieli, ile minut odpoczywali ani ile węży oraz innych stworzeń otarło się o nich, gdy spali. Obudzili się, bo Borobá szarpała ich dwoma łapkami za włosy, piszcząc ze strachu. Było jeszcze ciemno. Alexander zapalił latarkę, jej światło padło na czarną twarz pochyloną tuż nad nim. Oboje, leśna istota i Alex, krzyknęli jednocześnie i odskoczyli. Latarka potoczyła się i minęło wiele sekund, zanim chłopcu udało się ją odszukać. Przez ten czas Nadia zdążyła oprzytomnieć i chwyciwszy Aleksa za ramię, szepnęła, by się nie ruszał. Poczuli wielką rękę, która obmacała ich w ciemnościach, po czym złapała Alexandra za koszulkę i potrząsnęła nim z nadzwyczajną siłą. Chłopak ponownie zapalił latarkę, choć tym razem nie skierował światła bezpośrednio na napastnika. W półmroku zobaczyli stojącego przed nimi goryla.

– *Tempo kachi*.

„Obyś był szczęśliwy". To pozdrowienie używane w Zakazanym Królestwie było pierwszą i jedyną rzeczą, jaka przyszła do głowy Alexandrowi, nazbyt przestraszonemu, by myśleć. Natomiast Nadia przywitała się w małpim języku, ponieważ jeszcze zanim zobaczyła gościa, rozpoznała go po cieple, jakie wydzielał, i po oddechu pachnącym świeżo skoszoną trawą. Stała przed nimi gorylica, którą kilka dni wcześniej uwolnili z pułapki. Tak jak wtedy, miała przy sobie małe uczepione szorstkich włosów na jej brzuchu. Przyglądała się im mądrym i zaciekawionym wzrokiem. Nadia zastanawiała się, w jaki sposób gorylica dotarła aż tutaj, musiała przebyć wiele kilometrów przez las, rzecz rzadko spotykana u tych stworzeń.

Gorylica puściła Alexandra i położyła łapę na twarzy Nadii, popychając ją lekko, niemal pieszczotliwie. Dziewczyna uśmiechnęła się i odpowiedziała popchnięciem, które nie zdołało przesunąć zwierzęcia ani o pół centymetra, ale umożliwiło nawiązanie swoistego dialogu. Gorylica odwróciła się do nich plecami, oddaliła o kilka kroków, po czym wróciła i nachyliwszy się nad nimi ponownie, warknęła przyjaźnie i znienacka zaczęła skubać zębami ucho Alexandra.

– O co jej chodzi? – zapytał chłopiec, przestraszony.

– Chce, byśmy poszli za nią, zamierza nam coś pokazać.

Nie musieli iść daleko. Po chwili zwierzę kilkoma susami wspięło się na drzewo, na którym dostrzegli coś w rodzaju gniazda, umieszczonego w gałęziach drzewa. Gdy Alexander poświecił do góry latarką, odpowiedział mu chór bynajmniej nie przyjacielskich pomruków. Natychmiast skierował światło w inną stronę.

– Jest ich tam pełno, to pewnie goryla rodzina – rzuciła Nadia.

– Co oznacza, że mamy do czynienia z samcem oraz kilkoma samicami z młodymi. Samiec może być niebezpieczny.

– Jeśli nasza znajoma przyprowadziła nas tutaj, nie musimy się niczego obawiać.

– Co mamy robić? Nie wiem, co zaleca w takich sytuacjach gorylo-ludzka etykieta – zażartował zdenerwowany Alexander.

Czekali przez długi czas, tkwiąc bez ruchu pod dorodnym drzewem. Powarkiwania ustały. Znużeni, usiedli w końcu pomiędzy korzeniami potężnego drzewa. Borobá wczepiła się w pierś Nadii, drżąc ze strachu.

– Tutaj możemy spać spokojnie, znajdujemy się pod dobrą opieką. Gorylica chce się nam odwdzięczyć za to, co dla niej zrobiliśmy – zapewniła Aleksa jego przyjaciółka.

– Naprawdę sądzisz, że zwierzęta potrafią odczuwać wdzięczność, Orlico? – powątpiewał Alexander.

– Niby czemu nie, skoro porozumiewają się ze sobą, łączą w rodziny, kochają swoje potomstwo, tworzą własne społeczności i są obdarzone pamięcią. Borobá jest inteligentniejsza od większości znanych mi ludzi – odparła Nadia.

– Z kolei mój pies Poncho jest całkiem głupi.

– Nie wszyscy zostali obdarzeni mózgiem Einsteina, Jaguarze.

– O tak, Poncho jest tego najlepszym przykładem – zaśmiał się Alexander.

– A mimo to jest jednym z twoich najlepszych przyjaciół. W świecie zwierząt przyjaźń również istnieje.

Spało im się jak w puchu. Sąsiedztwo wielkich małp dawało im wyjątkowe poczucie bezpieczeństwa, trudno było o lepszą ochronę.

Obudzili się po paru godzinach, nie mając pojęcia, gdzie się znajdują. Alexander spojrzał na zegarek i stwierdził, że spali znacznie dłużej, niż zamierzali: minęła już siódma rano. Promienie słoneczne wyciskały teraz z ziemi całą wilgoć i las, spowity gorącą mgiełką, przypominał turecką łaźnię. Zerwali się na równe nogi i rozejrzeli wokoło. Na drzewie nie było już goryli. Przez chwilę zwątpili w prawdziwość tego, co wydarzyło się w nocy. Może był to tylko sen. Jednak pomiędzy gałęziami widać było gniazda, a obok Alexandra i Nadii leżały upominki – młode pędy bambusa, goryli przysmak. Jakby nie dość było tych dowodów, poczuli nagle, że z gęstwiny śledzi ich wiele par czarnych oczu. Obecność goryli była tak bliska i namacalna, że nie musieli ich widzieć, by wiedzieć, że są obserwowani.

– *Tempo kachi* – rzucił Alexander na pożegnanie.

– Dziękujemy – powiedziała Nadia w języku, którym posługiwała się Borobá.

Przeciągły, ochrypły pomruk odpowiedział im z nieprzeniknionej zieleni lasu.

– To warknięcie jest chyba oznaką przyjaźni – roześmiała się Nadia.

Świt w Ngoubé poprzedziła gęsta jak dym mgła, która wdarła się przez drzwi i otwory spełniające rolę okien. Podróżnicy spali bardzo twardo pomimo braku wygód w chacie, nie obudził ich nawet pożar w jednej z królewskich komnat. Dobra Kosonga nie ucierpiały zbytnio, ponieważ ogień został niemal natychmiast ugaszony. Gdy rozwiał się dym, zauważono, że pożar rozpoczął się od królewskiego płaszcza – co uznano za wyjątkowo zły znak – by po chwili przenieść się na lamparcie skóry, które zajęły się jak słoma. Jeńcy dowiedzieli się o tym wszystkim dopiero kilka godzin później.

Przez dach wpadały pierwsze promienie słońca, nieco rozjaśniając wnętrze. Kiedy się rozejrzeli, stwierdzili, że znajdują się w podłużnej, ciasnej chacie o potężnych murach z ciemnej gliny. Na jednej ze ścian znaleźli kalendarz z poprzedniego roku, wyryty najwyraźniej czubkiem noża. Na drugiej natrafili na wersety z Nowego Testamentu i toporny drewniany krzyż.

– Tu właśnie była siedziba misji – powiedział ze wzruszeniem brat Fernando.

– Skąd ta pewność? – zapytała Kate.

– Sami zobaczcie.

Misjonarz wyciągnął z plecaka kartkę papieru i rozprostował ją ostrożnie. Był na niej szkic wykonany ołówkiem przez zaginionych misjonarzy. Widać było wyraźnie główny plac wioski, Drzewo Słów, a pod nim tron Kosonga, chaty, zagrody, większy budynek oznaczony jako królewska rezydencja oraz drugi podobny, przeznaczony na kwaterę dla żołnierzy. Miejsce, gdzie się właśnie znajdowali, było na rysunku zaznaczone jako siedziba misji.

– Tutaj mieściła się zapewne szkoła i punkt medyczny. Gdzieś niedaleko powinien się znajdować ich ogródek. No i była jeszcze studnia.

– Po co im studnia, skoro tu co chwila leje? Wody jest w tych stronach w bród – zastanawiała się Kate.

– To nie oni ją wybudowali, była tu już wcześniej. Misjonarze nazywali to „studnią" tylko umownie, jakby chodziło o coś szczególnego. Zawsze mnie to zastanawiało.

– Co mogło się z nimi stać? – zapytała Kate.

– Nie odejdę stąd, dopóki się tego nie dowiem. Muszę się zobaczyć z komendantem Mbembelé – zadecydował brat Fernando.

Strażnicy przynieśli im na śniadanie kiść bananów i dzban mleka pełnego much, po czym wrócili na swoje stanowiska przy wyjściu, dając im w ten sposób do zrozumienia, że nie wolno im stąd wychodzić. Kate oderwała banana i chciała go podać Borobie. Wtedy właśnie spostrzegli, że Nadia, Alexander i małpka zniknęli.

Kate bardzo się wystraszyła, odkrywszy, że jej wnuka i Nadii nie było razem z nimi i że od ostatniego wieczoru nikt ich nie widział.

– Może poszli na spacer – rzucił brat Fernando bez większego przekonania.

Kate wybiegła z chaty i popędziła przed siebie jak tornado, zanim strażnik stojący na zewnątrz zdołał ją zatrzymać. Wioska budziła się do życia, dzieci i kobiety kręciły się po okolicy, nigdzie nie widać było jednak mężczyzn, ci bowiem nie pracowali. Z daleka dojrzała Pigmejki, które tańczyły poprzedniego wieczoru: niektóre dreptały po wodę do rzeki, inne szły do chat Bantu lub na plantacje. Pobiegła do nich, by zapytać o swoich podopiecznych, ale nie mogła się z nimi porozumieć lub też nie chciały jej odpowiedzieć. Przemierzyła całą wioskę, wykrzykując imiona Alexandra i Nadii, ale nigdzie ich nie znalazła, zdołała jedynie pobudzić kury i przyciągnąć uwagę dwóch żołnierzy ze straży Kosonga, którzy właśnie rozpoczynali swoją wartę. Chwycili ją bezceremonialnie pod ręce i powlekli do królewskiej rezydencji.

– Zabierają Kate! – wrzasnęła Angie, która śledziła z daleka całą scenę.

Wetknęła rewolwer za pas, złapała strzelbę i nakazała pozostałym, by szli za nią. Nie powinni zachowywać się jak jeńcy – wyjaśniła – ale jak goście. Odepchnęli dwóch strażników zagradzających im wyjście i puścili się pędem w kierunku, w którym poprowadzono pisarkę.

Tymczasem żołnierze zdążyli już rzucić Kate na ziemię i chcieli właśnie porachować jej kości, gdy przeszkodzili im w tym jej przyjaciele, którzy wtargnęli do chaty, krzycząc po hiszpańsku, angielsku i francusku. Bezczelność cudzoziemców zbiła żołnierzy z tropu, dotychczas nikt nie ośmielił się im sprzeciwiać. Zasada obowiązująca w Ngoubé głosiła, że ludzie Mbembelé są nietykalni. Gdy ktoś naruszył ją przez przypadek lub przez pomyłkę, otrzymywał chłostę, we wszystkich innych przypadkach płacił życiem.

– Chcemy się widzieć z królem! – zażądała Angie wspierana przez towarzyszy.

Brat Fernando pomógł Kate wstać, ostry skurcz w okolicy żeber zgiął ją wpół. Pisarka dała sobie kilka kuksańców, dzięki czemu udało się jej złapać oddech.

Znajdowali się w obszernej lepiance całkowicie pozbawionej mebli, z klepiskiem zamiast podłogi. Na ścianie wisiały dwie lamparcie głowy, a w kącie stał ołtarz z kukłami wudu. W drugim rogu, na czerwonym kobiercu, umieszczono lodówkę i telewizor, symbole dostatku i nowoczesności, zupełnie tu bezużyteczne, bo w Ngoubé nie było prądu. Przez dwoje drzwi i liczne otwory wpadało nieco światła.

W tej samej chwili rozległy się jakieś głosy i żołnierze w mgnieniu oka stanęli na baczność. Członkowie wyprawy zwrócili oczy ku jednemu z wejść, przez które wkroczył mężczyzna o wyglądzie gladiatora. Nie było wątpliwości, że mieli przed sobą sławetnego Maurice'a Mbembelé. Był wysoki, miał muskulaturę ciężarowca, szeroki kark i potężne bary, pociągłe rysy, pełne i kształtne wargi, złamany nos pięściarza oraz ogoloną głowę. Nie widzieli jego oczu, nosił bowiem lustrzane okulary słoneczne, które nadawały mu wyjątkowo groźny wygląd. Miał na sobie wojskowe spodnie, szeroki pas z czarnej skóry, na nogach oficerki. Górna część jego ciała była naga, poznaczona rytualnymi bliznami. Na ramionach miał opaski ze skóry lamparta. Komendantowi towarzyszyło dwóch żołnierzy, niemal tak wysokich jak on.

Na widok jego imponującej muskulatury Angie oniemiała z podziwu, wściekłość natychmiast ją opuściła i zawstydziła się jak pensjonarka. Kate Cold w obawie, że lada moment może stracić swoją najlepszą sojuszniczkę, postąpiła krok do przodu.

– Komendant Mbembelé, jak mniemam? – zapytała.

Mężczyzna nie odpowiedział, ograniczył się do spoglądania na cudzoziemców z nieprzeniknionym wyrazem twarzy, jakby miał na twarzy maskę.

– Komendancie, dwoje naszych ludzi zaginęło – powiedziała Kate.

Wojskowy przyjął wiadomość z lodowatym milczeniem.

– Chodzi o najmłodszych członków naszej grupy: mojego wnuka Alexandra i jego przyjaciółkę Nadię – dodała Kate.

– Chcemy wiedzieć, co się z nimi stało – wtrąciła Angie, gdy ocknęła się z miłosnego zauroczenia, które na pewien czas odebrało jej głos.

– Nie mogli odejść daleko, prawdopodobnie znajdują się na terenie wioski – wymamrotała Kate.

Pisarka czuła się tak, jakby grzęzła w bagnie: straciła grunt pod nogami, jej głos drżał. Ta cisza stała się nie do wytrzymania. Dokładnie po minucie, która wydała się im wiecznością, usłyszeli zdecydowany głos komendanta:

– Strażnicy, którzy zaniedbali swoje obowiązki, zostaną ukarani.

To było wszystko, co powiedział. Odwrócił się na pięcie i wyszedł tymi samymi drzwiami, którymi wszedł, a za nim podążyli dwaj żołnierze, którzy znęcali się nad Kate. Szli, śmiejąc się i komentując zdarzenie. Brat Fernando i Angie to i owo zrozumieli: białoskórzy uciekinierzy okazali się wyjątkowymi głupcami, czeka ich marny koniec w dżungli, gdzie pożrą ich dzikie zwierzęta lub zabiją duchy.

Nikt ich nie pilnował ani się nimi nie interesował. Kate i jej towarzysze powrócili do chaty, w której ich zakwaterowano.

– Gdzie oni się podziali? Zawsze narobią mi kłopotów. Przyrzekam, że słono mi za to zapłacą! – biadoliła Kate, targając swoje krótko przystrzyżone siwe kosmyki.

– Przyrzekanie niewiele da, lepiej się pomódlmy – zaproponował brat Fernando.

Uklęknął pośród karaluchów, które jakby nigdy nic przechadzały się po klepisku, i oddał się modlitwie. Nikt się do niego nie przyłączył, byli zbyt zajęci snuciem domysłów i robieniem planów. Angie była zdania, że nie mają innego wyjścia, tylko muszą pertraktować z królem, by udostępnił im łódkę – jedyny sposób na opuszczenie wioski. Joel González przekonywał, że to nie król, ale Mbembelé rządzi w Ngoubé, a ten nie rwie się do pomocy, wobec czego powinni raczej namówić Pigmejów, by wyprowadzili ich tajnymi leśnymi szlakami, które znają tylko oni. Kate nie zamierzała nigdzie się ruszać, dopóki nie powrócą Nadia i Alexander.

Brat Fernando, który ciągle tkwił na klęczkach, przerwał tę dyskusję, pokazując im kartkę papieru, jaką właśnie znalazł na jednym z tobołków. Kate wyrwała mu świstek z ręki i zbliżyła się do okna, przez które sączyło się światło.

– To pismo Alexandra!

Załamującym się głosem pisarka odczytała krótką wiadomość pozostawioną przez jej wnuka: *Poszliśmy pomóc Pigmejom. Odwróćcie uwagę Kosonga. Nie martwcie się, wrócimy niebawem.*

– Tym dzieciakom zupełnie odbiło – stwierdził Joel González.

– To ich normalny stan. Co my teraz zrobimy? – jęknęła Kate.

– Tylko niech ksiądz nie każe nam się modlić! Musi być jakieś praktyczniejsze wyjście! – zawołała Angie.

– Nie wiem, jak pani, ale ja wierzę, że młodzi powrócą. Tymczasem, spróbuję się czegoś dowiedzieć o losie braci misjonarzy – odpowiedział duchowny, wstając z klęczek i strzepując ze spodni karaluchy.

ROZDZIAŁ 9

Myśliwi

Błądzili między drzewami, nie wiedząc nawet, w jakim szli kierunku. Alexander znalazł na nodze pijawkę nabrzmiałą od jego krwi i pozbył się jej bez większych ceregieli. Pijawki poznał w Amazonii i teraz już się ich nie bał, choć nadal budziły w nim obrzydzenie. Nadii i Aleksowi trudno się było zorientować w terenie, pośród bujnej roślinności wszystko wyglądało tak samo. Jedyne barwne akcenty w wiecznej zieleni puszczy stanowiły orchidee i przelot ptaka o jaskrawym upierzeniu. Szli po miękkiej, czerwonawej ziemi nasączonej deszczem i najeżonej przeszkodami, w każdej chwili mogli stracić grunt pod nogami. Pod płaszczem unoszących się na wodzie liści kryły się zdradliwe trzęsawiska. Musieli torować sobie drogę pośród lian, czasem tworzących istne kurtyny, i wystrzegać się ostrych kolców niektórych roślin. Puszcza nie wydawała się teraz tak niedostępna jak na początku, przez korony drzew przenikało gdzieniegdzie słońce.

Alexander ściskał w ręce nóż, gotowy przebić nim pierwsze jadalne stworzenie, które znalazłoby się w jego zasięgu, ale żadne nie zamierzało sprawić mu tej przyjemności. Wiele szczurów przebiegło mu między nogami, okazały się jednak za szybkie. Żeby oszukać głód, jedli jakieś nieznane im owoce o gorzkawym smaku. Uznali, że skoro Borobá się nimi zajada, nie mogą być trujące, i zrobili to samo. Bali się, że zgubią się w puszczy, a w gruncie rzeczy już się zgubili: nie wiedzieli, jak wrócić do Ngoubé ani jak szukać Pigmejów. Mieli nadzieję, że Pigmeje odnajdą ich.

Błąkali się tak już od kilku godzin, coraz bardziej zagubieni i przestraszeni, gdy nagle Borobá zaczęła piszczeć. Ostatnimi czasy małpka chętnie siadywała na głowie Aleksa, owijając ogonem jego szyję i przytrzymując się uszu, stamtąd bowiem miała lepszy widok, niż gdy podróżowała w objęciach Nadii. Alexander nieustannie próbował się od niej uwolnić, ale gdy tylko się zagapił, Borobá powracała na ulubione miejsce. Dojrzała ślady tylko dzięki temu, że znowu siedziała na głowie Aleksa. Choć znajdowały się zaledwie metr od nich, były prawie niewidoczne. Jakieś olbrzymie nogi miażdżyły wszystko na swojej drodze, wydeptując coś w rodzaju ścieżki. Nadia i Alexander z miejsca je rozpoznali, widzieli je bowiem na safari u Michaela Mushahy.

– To ślady słonia – powiedział Alexander z nadzieją w głosie. – Jeśli jest słoń, Pigmeje nie mogą być daleko.

Pigmeje podążali za słoniem od wielu dni. Zawsze szli krok w krok za ofiarą, by ją osłabić i zmęczyć, po czym zapędzali ją do sieci i dopiero wtedy atakowali. Zwierzę nieco odsapnęło, gdy Beyé-Dokou i jego towarzysze przerwali pościg, aby zaprowadzić cudzoziemców do wioski Ngoubé. Przez ów wieczór i część nocy słoń próbował powrócić do matecznika, był jednak zbyt zmęczony i zdezorientowany. Myśliwi zapędzili go w obcy teren i nie potrafił odnaleźć drogi powrotnej, krążył ciągle w kółko. Obecność ludzi uzbrojonych w dzidy i sieci oznaczała jego koniec, podpowiadał mu to instynkt; mimo to wciąż uciekał, nie chciał jeszcze pogodzić się z losem.

Zmagania słonia i myśliwego trwają od tysiącleci. W genetycznej pamięci jednego i drugiego wyryty został tragiczny rytuał polowania, podczas którego albo zabijają, albo giną. Oszołomienie wywołane niebezpieczeństwem fascynuje ich obu. W kulminacyjnym momencie polowania przyroda wstrzymuje oddech, puszcza milknie, wiatr ustaje i w końcu, gdy decyduje się los jednego z nich, serce człowieka i serce zwierzęcia biją w tym samym rytmie. Słoń jest królem puszczy, jej najcięższym, największym, najbardziej poważanym mieszkańcem, nie ma zwierzęcia, które by mu się sprzeciwiło. Człowiek, istota filigranowa, delikatna, pozbawiona pazurów i kłów, istota, którą mógłby zmiażdżyć jedną nogą, jak jaszczurkę, jest jego jedynym wrogiem. I to małe stworzenie śmie stanąć mu na drodze? Jednak gdy rozpocznie się rytuał polowania, nie ma czasu na kontemplowanie ironii tej sytuacji, człowiek i jego ofiara wiedzą, że ten taniec kończy się zawsze śmiercią jednego z nich.

Myśliwi dużo wcześniej niż Nadia i Alexander natrafili na ślady wygniecionego poszycia i połamane gałęzie drzew. Już od wielu godzin szli za słoniem, doskonale koordynując swoje działania, chcąc go otoczyć z pewnej, dyktowanej rozsądkiem odległości. Mieli do czynienia ze starym samcem samotnikiem, wyposażonym w dwa olbrzymie kły. Był ich tylko tuzin i mieli prymitywną broń, mimo to nie zamierzali dopuścić, by im się wymknął. Zazwyczaj to kobiety podążały za zwierzęciem, by je zmęczyć i zagonić do pułapki, gdzie czekali mężczyźni.

Przed laty, w epoce wolności, urządzano ceremonie, podczas których proszono o pomoc duchy przodków i dziękowano zwierzęciu, że zgodziło się umrzeć; ale odkąd nastało królestwo strachu, którym władał Kosongo, nic już nie było takie jak dawniej. Nawet polowanie, najstarsze i najważniejsze zajęcie plemienia, utraciło swój religijny wymiar i zamieniło się w zwykłą rzeź.

Alexander i Nadia usłyszeli przeciągłe ryki i poczuli, że ziemia drży pod stąpnięciami potężnych nóg. Rozpoczął się końcowy akt polowania: sieci unieruchomiły już słonia i pierwsze dzidy wbijały się w jego boki.

Krzyk Nadii powstrzymał myśliwych, którzy zamarli z uniesionymi dzidami, podczas gdy słoń miotał się wściekle, walcząc resztkami sił.

– Nie zabijajcie go! Nie zabijajcie go! – powtarzała Nadia.

Unosząc ręce, stanęła między Pigmejami a zwierzęciem. Myśliwi szybko otrząsnęli się z zaskoczenia i próbowali ją odsunąć, ale wtedy do akcji wkroczył Alexander.

– Dość tego! Przestańcie! – krzyknął, pokazując amulet.

– Ipemba-Afua! – zawołali, padając na twarz przed świętym symbolem swego plemienia, który tak długo znajdował się w rękach Kosonga.

Alexander zrozumiał, że ta rzeźbiona kość była cenniejsza od proszku, jaki zawierała: nawet gdyby była pusta, Pigmeje zareagowaliby dokładnie tak samo. Przedmiot ten przekazywano sobie z pokolenia na pokolenie, przypisywano mu cudowne właściwości. Dług wdzięczności, jaki właśnie zaciągnęli u Nadii i Alexandra, był ogromny, niczego nie mogli odmówić tym młodym cudzoziemcom, którzy przynieśli im Ipembę-Afuę, przywracając duszę ich plemieniu.

Zanim Alexander przekazał Pigmejom amulet, wyjaśnił im, dlaczego nie powinni zabijać pokonanego zwierzęcia.

– W puszczy pozostało już niewiele słoni, niebawem w ogóle ich zabraknie. Nie będzie już kości słoniowej, która mogłaby uratować wasze dzieci od niewolnictwa. Polowanie na słonie nie rozwiąże tego problemu – musicie pozbyć się Kosonga, bo tylko to na zawsze przywróci wolność waszym rodzinom – powiedział Alex.

Dodał, że Kosongo jest człowiekiem takim samym jak inni, ziemia nie drży pod dotknięciem jego stóp, nie potrafi zabijać wzrokiem ani głosem. Władzę, jaką ma, czerpie z łatwowierności swoich poddanych. Gdyby przestali się go bać, Kosongo od razu straciłby rezon.

– A Mbembelé? A żołnierze? – zapytali Pigmeje.

Alexander musiał przyznać, że nie widział komendanta i że w rzeczy samej nie można było lekceważyć członków Bractwa Lamparta.

– Ale jeśli macie odwagę polować z dzidami na słonie, możecie również stawić czoło Mbembelé i jego ludziom – dodał.

– Chodźmy do Ngoubé. Z pomocą Ipemby-Afue oraz naszych kobiet pokonamy króla i komendanta – zaproponował Beyé-Dokou.

Jako *tuma* – najlepszy myśliwy – cieszył się szacunkiem swoich towarzyszy, ale nie mógł im niczego narzucać. Pigmeje poczęli rozprawiać między sobą i pomimo powagi sytuacji co rusz wybuchali śmiechem. Alexander poczuł, że jego nowi znajomi marnują cenny czas.

– Uwolnimy kobiety, by mogły walczyć razem z nami. Moi towarzysze także nam pomogą. Moja babcia na pewno coś wymyśli, jest bardzo sprytna – obiecał Alexander.

Beyé-Dokou przetłumaczył jego słowa, ale nie przekonały one Pigmejów. Uważali, że ta żałosna garstka cudzoziemców nie na wiele przyda się w walce. Babcia chłopaka również nie robiła na nich wrażenia, była tylko staruszką o nastroszonych włosach i spojrzeniu wariatki. Poza tym ich samych można było policzyć na palcach, na dodatek dysponowali tylko dzidami i siatkami, ich przeciwnik natomiast był liczny i potężny.

– Kobiety mówiły, że za panowania królowej Nany-Asante Pigmeje i Bantu żyli w przyjaźni – przypomniała im Nadia.

– Rzeczywiście – potwierdził Beyé-Dokou.

– Również oni cierpią teraz ucisk. Mbembelé torturuje ich i zabija, a robi to wedle własnego uznania. Gdyby tylko mogli, pozbyliby się Kosonga i komendanta. Może się do nas przyłączą – przekonywała dziewczyna.

– Nawet jeśli tak się stanie i wspólnymi siłami pokonamy żołnierzy, zostanie jeszcze Sombe, czarownik – przypomniał Beyé-Dokou.

– Z nim też sobie poradzimy! – zakrzyknął Alexander.

Ale myśliwi nie chcieli nawet słyszeć o wystąpieniu przeciwko czarownikowi Sombe i za pomocą min i gestów próbowali mu wyjaśnić, na czym polegają jego straszliwe moce: połyka ogień, unosi się w powietrzu, chodzi po rozżarzonych węglach, potrafi przemienić się w ropuchę, której ślina zabija. Z ich gestów Alexander wywnioskował również, że czarownik potrafi stawać na czworakach i wymiotować, co nie wydało mu się niczym nadzwyczajnym.

– Nie martwcie się, sami zajmiemy się czarownikiem Sombe – obiecał z pewnością siebie.

Wręczył im czarodziejski amulet, który jego nowi przyjaciele przyjęli z radością i wzruszeniem. Od wielu lat czekali na tę właśnie chwilę.

Podczas gdy Alexander przekonywał myśliwych, Nadia zbliżyła się do rannego słonia i próbowała go uspokoić w języku, jakiego nauczyła się od Kobiego, słonia z safari. Olbrzym był u kresu sił, krew płynęła mu z boków – kilka dzid Pigmejów zdążyło w nie trafić – i z trąby, którą walił o ziemię. Głos Nadii zwracającej się do niego w jego własnym języku dobiegał go z bardzo daleka, zupełnie jakby śnił. Po raz pierwszy miał do czynienia z ludźmi i zdziwił się, że mówią jego językiem. Wyczerpane zwierzę zaczęło słuchać. Powoli głos zaczął przenikać przez gruby mur rozpaczy, bólu i strachu, docierając do mózgu zwierzęcia. Uspokajał się stopniowo, przestał się miotać w sieci. Chwilę potem zastygł w bezruchu i ciężko sapiąc, począł wpatrywać się w Nadię, machając wielkimi uszami. Biła od niego mocna woń strachu, co Nadia odczuła jak wymierzony jej policzek, mimo to nie przestawała do niego mówić, przekonana, że ją rozumie. Słoń zaczął odpowiadać, wprawiając w zdumienie zgromadzonych. Chwilę potem nikt nie wątpił, że dziewczyna i zwierzę ze sobą rozmawiają.

– Proponuję umowę – zwróciła się Nadia do myśliwych. – W zamian za Ipembę-Afuę darujecie życie słoniowi.

Dla Pigmejów amulet był znacznie cenniejszy niż kość słoniowa, ale nie wiedzieli, jak uwolnić zwierzę z sieci, nie ryzykując, że zostaną zmiażdżeni jego nogami lub zginą nabici na kły, które dopiero co chcieli zanieść Kosongowi. Nadia zapewniła, że nic im nie grozi. Alexander nachylił się, by obejrzeć rany w miejscach, gdzie dzidy rozcięły grubą skórę zwierzęcia.

– Stracił dużo krwi, jest odwodniony, a w te rany może wdać się zakażenie. Obawiam się, że czeka go powolna i bolesna śmierć – zawyrokował.

Beyé-Dokou wziął amulet i podszedł do zwierzęcia. Wyjął maleńki korek tkwiący w jednym z końców Ipemby-Afua, nachylił kość i potrząsnął nią jak solniczką. Jeden z jego towarzyszy nadstawił dłonie pod wysypujący się zielonkawy proszek. Pokazali Nadii na migi, że resztę ma zrobić ona, bali się bowiem zbliżyć do słonia. Nadia wyjaśniła zwierzęciu, że chcą go uleczyć, i gdy domyśliła się, że ją zrozumiał, posypała proszkiem głębokie rany po dzidach.

Rany nie zniknęły, jak się spodziewała, ale po kilku minutach ustało krwawienie. Słoń przekrzywił łeb, próbując pomacać rany trąbą, ale Nadia poradziła mu, by tego nie robił.

Pigmeje przemogli strach i zabrali się do zdejmowania sieci, co okazało się znacznie trudniejsze niż ich zastawienie, ale w końcu im się udało. Sędziwy słoń zdążył się już pogodzić z losem, być może przekroczył nawet granicę między życiem a śmiercią, a teraz jakimś cudem był znowu wolny. Zrobił kilka niepewnych kroków, po czym ruszył chwiejnie ku gęstwinie. Zanim zniknął w lesie, odwrócił się w stronę Nadii i patrząc na nią z niedowierzaniem, uniósł trąbę i zaryczał.

– Co powiedział? – zapytał Alexander.

– Byśmy go wezwali, gdy znajdziemy się w potrzebie – przetłumaczyła Nadia.

Zbliżała się noc. W ostatnich dniach Nadia i Alexander niewiele jedli i byli bardzo głodni. Myśliwi natrafili na ślady bawołów, ale nie poszli ich tropem, ponieważ te zwierzęta są niebezpieczne i chodzą stadami. Powiedzieli, że ich języki są szorstkie jak papier ścierny: mogą, liżąc, zedrzeć z człowieka skórę wraz z ciałem i pozostawić tylko kości. Nie mogli na te zwierzęta polować bez pomocy kobiet. Biegnąc truchtem, poprowadzili ich do miejsca, gdzie stały maleńkie szałasy z gałęzi i liści. Osada ta była tak nędzna, że trudno było uwierzyć, iż mogą mieszkać w niej ludzie. Pigmeje nie budują solidnych domów, ponieważ są nomadami i ciągle muszą przemieszczać się coraz dalej w poszukiwaniu słoni.

Nie gromadzą dóbr, posiadają tylko to, co noszą przy sobie. Wytwarzają jedynie podstawowe przedmioty potrzebne do przetrwania w puszczy i polowania, resztę zdobywają, stosując handel wymienny. Ponieważ nie interesuje ich cywilizacja, inne plemiona uważają ich niemal za odmianę małp.

Myśliwi wyciągnęli z jakiegoś dołu pół antylopy pokrytej ziemią i robactwem. Upolowali ją kilka dni wcześniej i zjadłszy trochę, resztę zakopali, gdyż chcieli ukryć mięso przed zwierzętami. Ucieszeni, że mają co jeść, zaczęli śpiewać i tańczyć. Nadia i Alexander przekonali się po raz kolejny, że pomimo cierpień potrafili zachować pogodę ducha; gdy znajdowali się w lesie, ciągle żartowali, opowiadali zabawne historie i śmiali się na całe gardło. Nie przeszkadzało im, że mięso cuchnęło i było na pół zielone. Szybko nazbierali suchego drewna i za pomocą zapalniczki Alexandra rozpalili ognisko, na którym upiekli antylopę. Pigmeje zjedli również oblepiające mięso larwy, glisty, robaki i mrówki, uważali je bowiem za prawdziwy przysmak. Kolacji dopełniły dzikie owoce, orzechy i woda z kałuży.

– Babcia mówiła, że od brudnej wody możemy dostać cholery – powiedział Alexander, nabierając brunatnej cieczy obiema rękami i pijąc łapczywie, bo umierał z pragnienia.

– Ty może tak, bo jesteś cherlawy – dogryzała mu Nadia – ale ja wychowałam się w Amazonii i nie straszne mi tropikalne choroby.

Zapytali Beyé-Dokou, jak daleko znajdowali się od Ngoubé, ale nie potrafił im odpowiedzieć, bo Pigmeje mierzą odległość w godzinach i uzależniają ją od prędkości, z jaką się przemieszczają. Pięć godzin marszu odpowiada dwóm godzinom biegu. Nie umiał także określić położenia wioski, bo nigdy nie miał do czynienia z kompasem ani mapą i nie znał kierunków geograficznych. Orientował się dzięki przyrodzie, znał każde drzewo na obszarze kilkuset hektarów. Wyjaśnił, że tylko oni, Pigmeje, mają nazwy dla wszystkich drzew, roślin i zwierząt, pozostali uważają, że puszcza to tylko jednolite, zielone i podmokłe chaszcze. Żołnierze i Bantu odważali się tylko wchodzić na tereny pomiędzy wsią i rozwidleniem rzeki, gdzie nawiązywali łączność ze światem zewnętrznym i handlowali z przemytnikami.

– Handel kością słoniową jest przestępstwem niemal na całym świecie. Jak im się udaje wywieźć ją stąd? – zapytał Alexander.

Beyé-Dokou wyjaśnił, że Mbembelé przekupuje władze i obstawia swoimi ludźmi całą rzekę. Przywiązują słoniowe kły do dna łódki, tak by znajdowały się pod wodą, i transportują je w biały dzień. Diamenty podróżują w żołądkach przemytników. Połykają je razem z kilkoma łyżkami miodu i puddingu z manioku, a po dwóch dniach, dotarłszy w bezpieczne miejsce, wydalają je drugim końcem, co jest rozwiązaniem nieco obrzydliwym, ale pewnym.

Myśliwi opowiedzieli Alexandrowi i Nadii o czasach poprzedzających Kosonga, gdy w Ngoubé rządziła jeszcze Nana-Asante. Wtedy nie było złota, nie handlowano kością słoniową, Bantu uprawiali kawę, którą spławiali rzeką i sprzedawali w miastach, a Pigmeje przez większą część roku polowali w lesie. Bantu uprawiali też warzywa i maniok, które wymieniali z Pigmejami na mięso. Wspólnie obchodzili święta. Klepali biedę, ale przynajmniej byli wolni. Czasami przypływały łódki z różnymi artykułami z miasta, ale Bantu kupowali niewiele, ponieważ byli bardzo biedni, a Pigmejom były one nie potrzebne. Rząd o nich zapomniał, choć od czasu do czasu przysyłał pielęgniarkę ze szczepionkami, nauczyciela, który miał założyć tu szkołę, lub urzędnika obiecującego doprowadzić prąd. Jednak wszyscy bardzo szybko uciekali, nie potrafili żyć z dala od cywilizacji, zapadali na choroby, tracili rozum. Pozostali tu tylko komendant Mbembelé i jego ludzie.

– A misjonarze? – zapytała Nadia.

– Byli silni i również tu pozostali. Zjawili się, gdy nie było już Nany-Asante. Mbembelé próbował ich przegnać, ale nie chcieli odejść. Próbowali nam pomóc. Potem zniknęli – powiedzieli myśliwi.

– Tak jak królowa – zauważył Alexander.

– Nie, nie tak jak królowa – odpowiedzieli, nie chcąc nic więcej dodać.

ROZDZIAŁ 10

Wioska przodków

Dla Nadii i Alexandra była to pierwsza pełna noc w lesie. Część poprzedniej spędzili na przyjęciu u Kosonga, potem Nadia odwiedziła pigmejskie niewolnice, a przed opuszczeniem wioski zdążyli jeszcze wykraść amulet i podpalić królewską rezydencję, nic więc dziwnego, że tamta noc zleciała im dość szybko. Ta jednak dłużyła się w nieskończoność. Pod kopułą z drzew mrok zapadał wcześnie, a rzedł późno. Przez ponad dziesięć godzin musieli się gnieść w maleńkich myśliwskich szałasach, cierpiąc z powodu wilgoci, robactwa i sąsiedztwa dzikich zwierząt. To wszystko nie przeszkadzało bynajmniej Pigmejom, którzy bali się tylko duchów.

Pierwsze promienie słońca zastały Alexandra, Nadię i jej małpkę już przebudzonych i wygłodniałych. Z pieczonej antylopy zostały już tylko spalone kości, a woleli nie jeść więcej owoców, bo po nich bolały brzuchy. Postanowili nie myśleć o jedzeniu. Niebawem obudzili się również Pigmeje i przez długi czas rozprawiali w swoim języku. Ponieważ nie mieli wodza, każda decyzja wymagała godzinnych dyskusji, ale gdy tylko dochodzili do porozumienia, działali jak jeden mąż. Dzięki swemu zdumiewającemu talentowi do języków Nadia zrozumiała ogólny sens debaty, Alexander natomiast wyłowił jedynie kilka znajomych słów: Ngoubé, Ipemba-Afua, Nana-Asante. Ożywiona pogawędka dobiegła wreszcie końca i para przyjaciół została wtajemniczona w plan.

Za dwa dni przemytnicy mieli się zjawić po kość słoniową lub po pigmejskie dzieci. Oznaczało to, że musieli zaatakować Ngoubé w ciągu najbliższych trzydziestu sześciu godzin. Ale przedtem koniecznie musieli odprawić rytuał ze świętym amuletem, by poprosić o opiekę przodków oraz *Ezenji*, wielkiego ducha puszczy, pana życia i śmierci.

– Chyba mijaliśmy wioskę przodków w drodze do Ngoubé? – zapytała Nadia.

Beyé-Dokou potwierdził, że ich przodkowie rzeczywiście zamieszkiwali polanę położoną między rzeką a Ngoubé, oddaloną o wiele godzin marszu od miejsca, w którym się teraz znajdowali. Alexander przypomniał sobie, że jego babcia Kate w młodości przemierzyła z plecakiem cały świat, nocując na cmentarzach, ponieważ tam było najbezpieczniej – nikt nie zapuszczał się na cmentarz po zmroku. Wioska duchów wydawała się idealnym, położonym blisko celu, a jednocześnie bezpiecznym miejscem do przygotowania ataku na Ngoubé – Mbembelé i jego żołnierze nie ośmieliliby się tam wkroczyć.

– Czeka nas chwila szczególna, najważniejsza w historii całego plemienia. Dlatego uważam, że ceremonia powinna się odbyć w wiosce duchów... – oświadczył Alexander.

Ignorancja młodego cudzoziemca zdumiała myśliwych. Zapytali, czy w jego kraju do tradycji należy obrażanie przodków. Alexander musiał przyznać, że społeczeństwo amerykańskie zbytnio się z nimi nie liczy. Wytłumaczono mu, że wioska duchów jest miejscem zakazanym, śmiałek, który spróbowałby tam wejść, padłby od razu trupem. Tam tylko składa się ciała zmarłych. Gdy ktoś z plemienia umiera, odprawia się ceremonię pogrzebową trwającą cały dzień i całą noc, po czym najstarsze kobiety owijają zmarłego w szmaty i liście, obwiązują linami z włókien kory, tej samej, z której się robi sieci, i odnoszą go na miejsce spoczynku u boku przodków. Podchodzą pospiesznie pod wioskę, zostawiają ładunek i biorą nogi za pas. Robią to zawsze rano, w blasku dnia, po złożeniu licznych ofiar. Jest to jedyna bezpieczna pora, ponieważ duchy wtedy śpią, działają tylko nocą. Przodkowie traktowani z należytym szacunkiem nie niepokoją żyjących, jeśliby jednak ktoś ich obraził, nie uszłoby mu to płazem. Pigmeje boją się ich bardziej niż bogów, są bowiem bliżej.

Angie Ninderera opowiedziała kiedyś Nadii i Alexandrowi, że mieszkańcy Afryki mają stałą więź ze światem duchów.

– Afrykańscy bogowie są litościwsi i rozsądniejsi od innych bogów – wyjaśniła im wtedy. – Nie karzą jak bóg chrześcijan. Nie wymyślili piekła, w którym dusze muszą cierpieć po wsze czasy. Najgorsze, co może się przytrafić afrykańskiej duszy, to samotna tułaczka. Żaden afrykański bóg nie posłałby swego jedynego syna na śmierć na krzyżu, dla odkupienia ludzkich grzechów, które sam mógłby wymazać jednym ruchem ręki. Afrykańscy bogowie nie stworzyli ludzi na swój obraz i podobieństwo i ich nie miłują, ale przynajmniej zostawiają ich w spokoju. Duchy są bardziej niebezpieczne, bo posiadają te same przywary co ludzie: są chciwe, okrutne i zawistne. Można je udobruchać prezentami. Nie są zbyt wymagające, wystarczy im kapka alkoholu, papieros lub krew koguta.

Pigmeje byli przekonani, że srodze uchybili w czymś swoim przodkom, i dlatego znaleźli się w niewoli u Kosonga. Nie wiedzieli, czym ich obrazili ani jak naprawić wyrządzoną im krzywdę, ale wierzyli, że ich los zmieniłby się, gdyby tylko zdołali przebłagać duchy.

– Pójdziemy do ich wioski i zapytamy, dlaczego się gniewają i czego od was chcą – zaproponował Alexander.

– To duchy! – zawołali przerażeni Pigmeje.

– My się ich nie boimy – zapewnił Alexander, pokazując na siebie i na Nadię. – Porozmawiamy z nimi, może zechcą nam pomóc. W końcu to wasi przodkowie, muszą żywić do was trochę sympatii.

Zrazu pomysł spotkał się ze zdecydowanym sprzeciwem, ale Alexander i Nadia nalegali i w końcu, po długiej debacie, myśliwi postanowili udać się razem w okolice zakazanego terytorium. Mieli się tam zaszyć w lesie, by przygotować broń i odprawić swoją ceremonię, podczas gdy przybysze będą negocjować z ich przodkami.

Szli już od wielu godzin. Nadia i Alexander pozwalali się prowadzić, nie zadając pytań, chociaż wydawało im się co rusz, że przechodzą obok tego samego miejsca. Myśliwi posuwali się pewnie, zawsze truchtem, nie jedząc i nie pijąc, odporni na zmęczenie, czerpiąc siły ze swoich bambusowych fajek nabitych ciemnym tytoniem. Nosili je zawsze ze sobą, podobnie jak sieci, dzidy i strzały – i to było wszystko, co posiadali. Alexander i Nadia podążali za Pigmejami, potykając się co krok, ledwo żywi ze zmęczenia i upału, aż w końcu zwalili się na ziemię, oznajmiając, że dalej nie idą. Musieli się posilić i odpocząć.

Jeden z myśliwych ustrzelił małpę, która runęła im pod nogi jak kamień. Obdarli ją ze skóry i rzucili się na surowe mięso. Alexander rozpalił małe ognisko i upiekł kawałki przypadające na niego i Nadię. Borobá zakrywała sobie oczy łapkami i jęczała: dla niej był to okrutny akt kanibalizmu. Nadia podsunęła jej pędy bambusa i próbowała wytłumaczyć, że w ich sytuacji nie mogą odmówić zjedzenia mięsa, ale wystraszona Borobá odwróciła się do niej plecami, nie pozwalając się dotknąć.

– To tak, jakby stado małp pożerało na naszych oczach człowieka – powiedziała Nadia.

– Nie da się ukryć, Orlico, że to nieładnie z naszej strony, ale jeśli się nie posilimy, nie będziemy mogli iść dalej – przekonywał Alexander.

Beyé-Dokou przedstawił im plan działania. Pojawią się w Ngoubé następnego dnia wieczorem, kiedy upływał termin dostarczenia kości słoniowej. Kosongo niewątpliwie wpadnie w furię, widząc, że przychodzą z pustymi rękami. Podczas gdy jedni będą odwracać jego uwagę usprawiedliwieniami i obietnicami, reszta wypuści kobiety i przyniesie broń. Będą walczyć o swoje życie i o uwolnienie swoich dzieci.

– Podziwiam waszą odwagę, ale plan ten jest mało praktyczny. Zakończy się masakrą, ponieważ żołnierze uzbrojeni są w karabiny – rzuciła Nadia.

– Są przedpotopowe – zauważył Alexander.

– Może i są, ale i tak zabijają na odległość. Nie można ruszać z dzidami na broń palną – tłumaczyła Nadia.

– W takim razie musimy wykraść amunicję.

– To niemożliwe. Karabiny są nabite, a żołnierze noszą pasy z nabojami. Czy można w jakiś sposób unieszkodliwić karabin?

– Nie znam się na tym, Orlico, ale moja babcia była świadkiem wielu wojen i przez kilka miesięcy towarzyszyła partyzantom w Ameryce Środkowej. Założę się, że będzie wiedziała, jak to zrobić. Musimy wrócić do Ngoubé i przygotować wszystko, zanim nadejdą Pigmeje – powiedział Alexander.

– Żołnierze Kosonga mogą nas zobaczyć – zauważyła Nadia.

– Będziemy szli nocą. Jeśli dobrze pamiętam, wioska przodków nie leży daleko od Ngoubé.

– Dlaczego upierasz się, by iść do tego zakazanego miejsca, Jaguarze?

– Podobno wiara przenosi góry, Orlico. Jeśli przekonamy Pigmejów, że przodkowie są po ich stronie, poczują się niezwyciężeni. Poza tym mają amulet Ipemba-Afua, to też doda im odwagi.

– A jeśli przodkowie odmówią pomocy?

– Orlico, duchy nie istnieją! Wioska przodków jest tylko cmentarzem. Posiedzimy tam sobie kilka godzin, a potem opowiemy naszym znajomym, że przodkowie obiecali pomóc nam w walce z Mbembelé. Na tym polega mój plan.

– Nie podoba mi się twój plan. Kłamstwo ma krótkie nogi – powiedziała jego przyjaciółka.

– Jeśli nie chcesz, pójdę sam.

– Przecież wiesz, że nie możemy się rozdzielać. Idę z tobą – zadecydowała Nadia.

Jeszcze przed zapadnięciem nocy dotarli do znanego im miejsca z zakrwawionymi kukłami wudu. Pigmeje nie chcieli iść dalej, nie mogli bowiem zapuszczać się na tereny należące do wygłodniałych duchów.

– Nie sądzę, by widmom doskwierał głód, duchy z założenia nie mają żołądka – zauważył Alexander.

Beyé-Dokou wskazał na leżące wokół stosy odpadków. Jego plemię składało tu ofiary ze zwierząt i znosiło owoce, miód, orzechy i trunki, pozostawiając wszystko obok kukieł. Nocą większość jedzenia znikała, pochłonięta przez nienasycone duchy. W ten sposób Pigmeje zapewniali sobie spokój, ponieważ duchy odpowiednio karmione nie niepokoiły żywych. Alex zasugerował, że to prawdopodobnie szczury zjadały dary, ale oburzeni Pigmeje zdecydowanie zaprzeczyli. Stare Pigmejki, które podczas uroczystości pogrzebowych przynosiły ciała zmarłych pod samą wioskę, mogły zaświadczyć, że jedzenie wciągane było do środka. Czasami dochodziły stamtąd przerażające krzyki, które sprawiały, że w ciągu kilku godzin włosy tych, którzy je słyszeli stawały się zupełnie białe.

– Pójdę tam z Nadią i małpką, ale ktoś musi tu na nas zaczekać, by jeszcze przed świtem zaprowadzić do Ngoubé – powiedział Alexander.

Zamiar spędzenia nocy na cmentarzu był dla Pigmejów ostatecznym dowodem, że młodzi cudzoziemcy mieli nie po kolei w głowie, ale skoro nie zdołali odwieść ich od tego pomysłu, musieli w końcu na niego przystać. Beyé-Dokou wskazał im drogę i pożegnał się serdecznie, nie kryjąc smutku, był bowiem przekonany, że ich nigdy więcej nie zobaczy. Z czystej grzeczności zgodził się czekać aż do wschodu słońca przy ołtarzu wudu. Pozostali Pigmeje również się pożegnali, podziwiając odwagę przybyszów.

Nadia i Alexander nie spodziewali się, że w pochłaniającej wszystko dżungli, gdzie tylko słonie zostawiały widoczne ślady, natrafią na wydeptaną ścieżkę prowadzącą na cmentarz. Oznaczało to, że ktoś z niej często korzystał.

– Tędy właśnie chodzą przodkowie Pigmejów – szepnęła Nadia.

– Orlico, nawet gdyby duchy istniały, nie zostawiałyby śladów i nie wydeptywałyby ścieżek – odparł Alexander.

– Skąd wiesz?

– To się rozumie samo przez się.

– Pigmeje i Bantu za nic w świecie nie zbliżyliby się do tego miejsca, a ludzie Mbembelé są jeszcze bardziej przesądni: nie zapuszczają się nawet do lasu. Może mi w takim razie wyjaśnisz, kto wydeptał tę ścieżkę? – zapytała Nadia.

– Nie mam pojęcia, ale się dowiemy.

Po półgodzinnym marszu znaleźli się nagle na leśnej polanie, na wprost wysokiego, okrągłego muru wykonanego z kamieni, pni, słomy i błota. Na murze były zawieszone łby zwierząt, czaszki, kości, maski, wyrzeźbione z drewna figurki, gliniane naczynia i amulety. Nie znaleźli furtki, ale natrafili na okrągły otwór mający około osiemdziesięciu centymetrów średnicy, znajdujący się jednak dość wysoko.

– Myślę, że stare kobiety, które przynoszą tu ciała zmarłych, przerzucają je właśnie w tym miejscu. Po drugiej stronie uzbierały się pewnie stosy kości – powiedział Alexander.

Nadia nie dosięgała do otworu, ale Alexandrowi udało się zajrzeć do środka.

– I co? – zapytała dziewczyna.

– Nie widać zbyt dobrze. Niech Borobá uda się na zwiady.

– Oszalałeś?! Borobá nie może iść sama. Albo idziemy wszyscy, albo nie idziemy wcale – zadecydowała Nadia.

– Zaczekaj tu na mnie, zaraz wrócę – odpowiedział Alexander.

– Wolę iść z tobą.

Alexander doszedł do wniosku, że gdyby przeszedł przez otwór, wypadłby z drugiej strony głową w dół. Mogło to być ryzykowne, więc zdecydował wspiąć się na mur, a ponieważ miał spore alpinistyczne doświadczenie, wydało mu się to dziecinnie proste. Zadanie ułatwiał dodatkowo fakt, że mur był nierówny. Niecałe dwie minuty później Alexander siedział na nim okrakiem, podczas gdy Nadia i Borobá czekały na dole, wyraźnie zdenerwowane.

– To miejsce przypomina starą, od dawna opuszczoną wieś, nigdy czegoś takiego nie widziałem – stwierdził Alexander.

– Widzisz jakieś szkielety? – zapytała Nadia.

– Ani jednego. Jest tu czysto i pusto. Być może nie wrzucają ciał przez otwór, jak sądziliśmy...

Z pomocą Aleksa Nadia przedostała się na drugą stronę. Borobá zawahała się, ale bojąc się zostać sama, ruszyła za swoją panią. Nigdy się z nią nie rozstawała.

Na pierwszy rzut oka wioska przodków wyglądała jak nagromadzenie pieców z gliny i kamieni, ułożonych w koncentrycznych kręgach. Każda z tych okrągłych konstrukcji posiadała wnękę zasłoniętą kawałkami materiału i korą drzew. Nie było tu figurek, kukieł ani amuletów. Można było odnieść wrażenie, że życie na tej polanie otoczonej wysokim murem zatrzymało się. Dżungla nie miała tu dostępu i nawet temperatura wydawała się inna. Królowała tu zagadkowa cisza, nie słychać było rejwachu małp ani ptaków, bębnienia deszczu ani szmeru wiatru w liściach. Panował absolutny spokój.

– To muszą być groby. Obejrzyjmy je – zadecydował Alexander.

Odsuwali prymitywne kotary zasłaniające wnęki i zaglądali do środka. Były tam ludzkie szczątki misternie poukładane w piramidy. Wyschnięte, rozsypujące się szkielety być może leżały tam od setek lat. Niektóre groby wypełnione były kośćmi pod sam sufit, inne tylko w połowie, jeszcze inne stały puste.

– Makabra! – wzdrygnął się Alexander.

– Czegoś tu nie rozumiem, Jaguarze... Jeśli nikt nie wchodzi do wioski duchów, dlaczego jest tu tak czysto i schludnie? – zastanawiała się Nadia.

– Tajemnicza sprawa – przyznał Alex.

ROZDZIAŁ 11

Spotkanie z duchami

Światło, wiecznie przytłumione pod zieloną kopułą dżungli, poczęło gasnąć. Od dwóch dni, dokładnie od chwili, gdy opuścili Ngoubé, Alexander i Nadia mogli dojrzeć niebo jedynie przez szczeliny, jakie otwierały się od czasu do czasu w koronach drzew. Ponieważ cmentarz znajdował się na polanie, nareszcie widzieli nad głowami spory kawałek nieba, które teraz przybierało granatową barwę. Przykucnęli miedzy dwoma grobami, gdzie mieli spędzić parę najbliższych godzin tylko we dwójkę.

W ciągu trzech lat, które upłynęły od pierwszego spotkania, ich przyjaźń wybujała jak potężne drzewo i stanowiła teraz ich największy skarb. Początkowe dziecinne przywiązanie przeobrażało się razem z nimi, w miarę jak dojrzewali, ale nigdy nie poruszali tego tematu. Brakowało im słów, by oddać tak delikatne uczucie, i bali się, że jeśli spróbują je opisać, pęknie jak szklana tafla. Ubranie ich związku w słowa oznaczało zdefiniowanie go, nałożenie mu ograniczeń, uproszczenie; jeśli się o nim nie mówiło, miał szansę pozostać nieskrępowany i nieskażony. Na pożywce milczenia ich przyjaźń rozrosła się tak niepostrzeżenie, że nawet oni sami nie byli tego świadomi.

Od pewnego czasu Alexandra trapiła właściwa wiekowi dojrzewania burza hormonów, przez którą większość jego rówieśników dawno już przeszła; jego własne ciało zamieniło się nagle w zajadłego wroga, nie dawało mu spokoju. Zbierał gorsze oceny, przestał grywać na flecie, nawet górskie wyprawy z ojcem, niegdyś tak dla niego ważne, zaczęły go nagle nudzić. Coraz częściej nawiedzały go ataki złego humoru, kłócił się z najbliższymi, a potem, skruszony, nie wiedział, jak się z nimi pogodzić. Zrobił się niezdarny, miotał się w kłębowisku sprzecznych uczuć. Huśtawka nastrojów sprawiała, że w ciągu kilku minut z euforii wpadał w depresję, odczuwane emocje były tak intensywne, że czasami zapytywał samego siebie, czy warto żyć. W atakach chandry dochodził do wniosku, że świat jest jednym wielkim bagnem, a znakomita większość ludzi to po prostu głupcy. Choć przeczytał wiele książek o dojrzewaniu, a w szkole poruszano ten temat dość dogłębnie, on przeżywał je jak wstydliwą chorobę. „Nie przejmuj się, wszyscy przez to przechodziliśmy" – pocieszał go ojciec, jakby chodziło o błahe przeziębienie, ale Alexander miał niebawem skończyć osiemnaście lat, a jego stan się nie poprawiał. Nie potrafił porozumieć się z własnymi rodzicami, doprowadzali go do szału, należeli do innej epoki, wszystko, co mówili, trąciło myszką. Wiedział, że kochają go ponad życie, i był im za to wdzięczny, ale uważał, że w żaden sposób nie są w stanie go zrozumieć. Dzielił się swoimi problemami tylko z Nadią. Umownym językiem, jakiego używali do porozumiewania się pocztą elektroniczną, nie wstydził się opisać tego, co działo się w jego duszy, nigdy jednak nie poruszał tego tematu przy spotkaniach. Ona akceptowała go takim, jakim był, nie osądzała go. Czytała jego listy, nie ustosunkowując się do jego problemów, nie wiedziała bowiem, co odpowiedzieć przyjacielowi, jej niepokoje były innego rodzaju.

Alexander czuł, że jego obsesja na punkcie rówieśniczek była śmieszna, nie potrafił jednak z nią walczyć. Jedno słowo, jeden gest, przypadkowe muśnięcie – i już jego wyobraźnia zaczynała pracować i nabrzmiewać od pragnień. Ukojenie odnajdował w sporcie: latem i zimą uprawiał surfing na Pacyfiku. Zetknięcie z lodowatą wodą i wspaniałe uczucie unoszenia się na falach przywracały mu dziecięce poczucie niewinności i beztroski, choć nie na długo. Jedynie podróże u boku babci potrafiły na wiele tygodni odwrócić jego uwagę od męczących myśli, w jej towarzystwie udawało mu się zapanować nad emocjami. Odzyskiwał wtedy nadzieję, że być może jego ojciec miał rację i ten obłęd kiedyś minie.

Od dnia, kiedy spotkali się w Nowym Jorku, by wyruszyć w kolejną podróż, Alexander zaczął patrzeć na Nadię inaczej niż przedtem, choć absolutnie nie było dla niej miejsca w prześladujących go fantazjach erotycznych. Do głowy mu nawet nie przyszło, by myśleć o niej w taki sposób, w jego oczach Nadia zajmowała miejsce obok jego sióstr: łączyło go z nią uczucie czyste, ale nie pozbawione zazdrości. Stawiał sobie za punkt honoru bronienie przyjaciółki przed kimkolwiek, kto mógłby ją skrzywdzić, przede wszystkim przed innymi chłopakami. Nadia była bardzo ładna – przynajmniej on tak uważał – i wiedział, że wcześniej czy później przyciągnie do siebie rój wielbicieli. Alex nie zamierzał patrzeć spokojnie, jak któryś z tych trutni się z nią spoufala, na samą myśl o tym krew się w nim burzyła. Zaczął dostrzegać kształtną figurę Nadii, subtelność jej ruchów i skupiony wyraz twarzy. Podobał mu się jej koloryt: kasztanowe włosy, śniada skóra, oczy barwy orzecha laskowego; gdyby chciał namalować jej portret, mógłby ograniczyć się do odcieni żółci i brązu. Różniła się od niego i to właśnie go pociągało: jej szczupła sylwetka kryjąca wielką siłę charakteru, milczące skupienie, harmonijne współżycie z przyrodą. Zawsze była zamknięta w sobie, ale teraz wydawała mu się tajemnicza. Lubił z nią być, móc jej od czasu do czasu dotknąć, ale łatwiej przychodziło mu porozumiewanie się z nią na odległość; gdy byli razem, tracił głowę, nie wiedział, co jej powiedzieć, ważył każde słowo, wydawało mu się, że jego dłonie są toporne, stopy za duże, ton głosu zbyt despotyczny.

Gdy tak siedzieli w ciemnościach na starym pigmejskim cmentarzu, Alexander odczuwał bliskość przyjaciółki z intensywnością graniczącą niemal z bólem. Kochał ją bardziej niż kogokolwiek innego na świecie, bardziej niż własnych rodziców i wszystkich przyjaciół razem wziętych, bał się ją utracić.

– Podoba ci się w Nowym Jorku? Jak ci się mieszka z moją babcią? – zapytał, by przerwać ciszę.

– Twoja babcia rozpieszcza mnie jak księżniczkę z bajki, ale tęsknię za tatą.

– Nie wracaj do Amazonii, Orlico, to tak daleko, trudno nam się będzie kontaktować.

– Pojedź ze mną – rzuciła Nadia.

– Pojadę z tobą choćby na koniec świata, ale najpierw chcę skończyć medycynę.

– Twoja babcia wspomniała, że zabrałeś się za spisywanie naszych przygód w Amazonii i w Królestwie Złotego Smoka. Napiszesz też o Pigmejach? – zapytała Nadia.

– To tylko luźne notatki, Orlico. Nie zamierzam poświęcić się pisarstwu, tylko medycynie. Zacząłem o niej myśleć, gdy zachorowała moja mama, a utwierdziłem się w tym przekonaniu, widząc, jak lama Tensing wyleczył ciebie igłami i modlitwą. Zdałem sobie wówczas sprawę, że do uzdrawiania ludzi nie wystarcza nauka i technika, istnieją inne, nie mniej ważne czynniki. Medycyna holistyczna, tak chyba nazywa się to, czemu chcę się poświęcić – wyjaśnił Alexander.

– Pamiętasz, co powiedział szaman Walimai? Stwierdził, że masz dar uzdrawiania i powinieneś go wykorzystać. Myślę, że będziesz najlepszym lekarzem na świecie – zapewniła go Nadia.

– A ty co chcesz robić po skończeniu szkoły?

– Studiować języki zwierząt.

– Na żadnej uczelni nie znajdziesz filologii zwierzęcej – roześmiał się Alexander.

– W takim razie założę własną szkołę.

– A potem możemy wspólnie podróżować, ja jako lekarz, ty jako lingwista – zaproponował Alexander.

– Tak, ale dopiero jak się pobierzemy – odparła Nadia.

Jej słowa załopotały w powietrzu niczym chorągiew. Alexander poczuł mrowienie w całym ciele, a jego serce poczęło bić jak oszalałe. Był tak zaskoczony, że słowa utknęły mu w gardle. Jakim cudem on sam na to nie wpadł? Przez lata kochał się w Cecilii Burns, z którą tak naprawdę nic go nie łączyło. Ostatnio uganiał się za nią z niezłomną wytrwałością, ze stoickim spokojem znosząc jej kaprysy i afronty. Podczas gdy on wciąż zachowywał się jak smarkacz, jego rówieśnica, Cecilia Burns, zdążyła się przeobrazić w kobietę w pełnym tego słowa znaczeniu. Była wyjątkowo atrakcyjna i Alexander stracił już nadzieję, że kiedykolwiek zwróci na niego uwagę. Marzyła o karierze aktorki, wzdychała do filmowych amantów i zaraz po skończeniu osiemnastu lat zamierzała szukać szczęścia w Hollywood. Ostatnie wypowiedziane przez Nadię zdanie odkryło przed Aleksem horyzonty, o których istnieniu nie miał dotychczas pojęcia.

– Jestem skończonym idiotą! – jęknął.

– Dlaczego? Czy to znaczy, że się nie pobierzemy?

– Ja... – zająknął się Alexander.

– Posłuchaj mnie, Jaguarze. Nie wiadomo, czy wydostaniemy się żywi z tej puszczy. Być może nie zostało nam już dużo czasu, powinniśmy więc chyba otwarcie porozmawiać – zaproponowała Nadia poważnym głosem.

– Ależ to oczywiste, że się pobierzemy, Orlico! Bez dwu zdań! – przerwał jej Alexander, czerwieniąc się aż po czubki uszu.

– Ale to dopiero za kilka lat – ucięła Nadia, wzruszając ramionami.

Przez dłuższą chwilę oboje milczeli. W sercu Alexandra rozpętała się burza sprzecznych myśli i uczuć, to umierał ze strachu, nie wiedząc, jak z nadejściem dnia zdoła spojrzeć Nadii w oczy, to znowu walczył z pokusą, by ją pocałować. Był pewien, że nigdy się nie odważy... Cisza zaczęła mu okrutnie ciążyć.

– Boisz się, Jaguarze? – odezwała się jego przyjaciółka pół godziny później.

Alexander nie odpowiedział. Był przekonany, że Nadia czytała w jego myślach i odnosiła się do tego nieznanego mu dotychczas strachu, który w nim obudziła i który w tej właśnie chwili paraliżował go całkowicie. Dopiero gdy padło kolejne pytanie, zrozumiał, o czym mówiła.

– Jutro przyjdzie nam stawić czoło królowi Kosongo, komendantowi Mbembelé, a niewykluczone że i czarownikowi Sombe. Jak to zrobimy?

– Jakoś to będzie, Orlico. Moja babcia zawsze powtarza, że nie ma nic gorszego od strachu przed strachem.

W głębi duszy wdzięczny był niebiosom, że Nadia zmieniła temat, i postanowił nie mówić już więcej o miłości, przynajmniej dopóki nie wróci do Kalifornii, gdzie będzie nareszcie bezpieczny, oddzielony od przyjaciółki całą szerokością amerykańskiego kontynentu. Poczta elektroniczna bez wątpienia okaże się jego sprzymierzeńcem w mówieniu o uczuciach, choćby dlatego, że Nadia nie będzie widziała jego zaczerwienionych uszu.

– Mam nadzieję, że orzeł i jaguar przyjdą nam jutro z pomocą – szepnął Alexander.

– Tym razem będzie nam potrzeba czegoś więcej – odpowiedziała Nadia.

Jak gdyby ktoś przybywał na ich wezwanie, poczuli nagle czyjąś milczącą obecność zaledwie kilka kroków od miejsca, w którym się znajdowali. Alexander chwycił za nóż, drugą ręką zapalając latarkę, a wtedy snop światła wydobył z mroku postać, której widok przejął ich dreszczem.

Sparaliżowani strachem ujrzeli starą czarownicę stojącą trzy metry od nich, okutaną w łachmany, z burzą białych, potarganych włosów na głowie, chudą jak kościotrup. Zjawa! – pomyśleli jednocześnie, ale chwilę potem Alexander spróbował odwołać się do rozsądku i poszukać innego wytłumaczenia.

– Kto to? – krzyknął po angielsku, zrywając się na równe nogi.

Cisza. Chłopak powtórzył pytanie, po raz kolejny kierując światło latarki na nocnego gościa.

– Jesteś duchem? – zapytała Nadia, przeplatając francuski językiem bantu.

Widmo wymamrotało niezrozumiałą odpowiedź i cofnęło się, oślepione światłem.

– To chyba jakaś staruszka! – zawołała Nadia.

W końcu udało im się zrozumieć słowa powtarzane przez domniemanego ducha: Nana-Asante.

– Nana-Asante? Królowa Ngoubé? Żywa czy martwa? – spytała Nadia.

Niebawem wszystko stało się jasne: mieli przed sobą dawną królową Bantu, tę samą, która zniknęła bez wieści, rzekomo zgładzona przez Kosonga, gdy ten przywłaszczył sobie jej tron. Nieszczęsna kobieta zaszyła się na cmentarzu i przez te wszystkie lata utrzymywała się przy życiu dzięki darom, jakie myśliwi składali swoim przodkom. To właśnie ona dbała o porządek na cmentarzu, ona układała w grobach trupy, które przerzucano przez otwór w murze. Wyjaśniła, że nie była wcale sama, ale w doborowym towarzystwie, towarzystwie duchów, do których zamierzała ostatecznie dołączyć już niebawem, była bowiem zmęczona przebywaniem we własnym ciele. Opowiedziała, że w przeszłości jako *nganga*, znachorka, miała okazję gościć w świecie duchów za każdym razem, kiedy wpadała w trans. Gdy obcowała z nimi w czasie rytuałów, budziły w niej paniczny lęk, jednak odkąd zamieszkała na cmentarzu, przestała się ich bać. Duchy były teraz jej przyjaciółmi.

– Biedaczka, chyba straciła rozum – szepnął Alex Nadii na ucho.

Jednak Nana-Asante nie oszalała, a lata odosobnienia nie stępiły jej umysłu. Wiedziała o wszystkim, co działo się w Ngoubé, o Kosongu i jego dwudziestu małżonkach, o Mbembelé i siepaczach z Bractwa Lamparta, o czarowniku Sombe i jego demonach. Wiedziała, że mieszkający w wiosce Bantu nie mieli odwagi stawić im czoła, bo najmniejsza nawet oznaka nieposłuszeństwa karana była okrutnymi torturami. Wiedziała, że Kosongo odebrał Pigmejom magiczny amulet, zamieniając ich w niewolników, i że Mbembelé sprzedawał ich dzieci, jeśli nie dostarczyli mu kości słoniowej. Wiedziała również, że grupa cudzoziemców przybyła do Ngoubé w poszukiwaniu misjonarzy i że dwoje najmłodszych uczestników wyprawy uciekło z Ngoubé i lada dzień miało złożyć jej wizytę. Czekała na nich.

– Jak możesz o tym wszystkim wiedzieć, Nano-Asante? – zdziwił się Alexander.

– Od przodków. Oni wiedzą bardzo dużo. Wychodzą ze swoich kryjówek nie tylko nocą, jak się zwykło uważać, ale również za dnia, i razem z duchami przyrody wędrują sobie to tu, to tam, pomiędzy żywymi i umarłymi. Wiedzą, że przyszliście, by prosić ich o pomoc – powiedziała Nana-Asante.

– Zgodzą się pomóc swoim potomkom? – zapytała Nadia.

– Tego nie wiem. Będziecie musieli sami z nimi porozmawiać – oznajmiła królowa.

Olbrzymi księżyc w pełni, żółty i lśniący, zawisł nad polaną. Wtedy na cmentarzu zaczęło się dziać coś czarodziejskiego, coś, co Alexander i Nadia mieli odtąd wspominać jako jeden z najważniejszych momentów w ich życiu.

Pierwszym sygnałem, że dzieje się coś niezwykłego, był fakt, że nagle zobaczyli wszystko znacznie wyraźniej, jakby nad cmentarzem rozbłysły jakieś potężne reflektory. Po raz pierwszy, odkąd znaleźli się w Afryce, poczuli przeszywający chłód. Drżąc z zimna, przytulili się do siebie, chcąc przekazać sobie wzajemnie odrobinę ciepła i odwagi. Narastający pszczeli gwar wypełnił powietrze i na oczach zdumionych przybyszów polana zaroiła się od dziwnych półprzezroczystych istot. Duchy obstąpiły ich dokoła. Nie sposób było ich opisać, ponieważ nie posiadały żadnego kształtu; podobne były nieco do ludzi, choć zmieniały się, jakby były figurami z dymu, nie miały ubrań, ale nie były nagie; wydawały się bezbarwne, choć promieniowały światłem.

Intensywne, podobne do muzyki owadzie bzyczenie, wibrujące Aleksowi i Nadii w uszach miało swoje znaczenie, stanowiło uniwersalny język, coś w rodzaju telepatycznego przekazu, który rozumieli. Nic nie musieli duchom wyjaśniać, o niczym opowiadać, o nic prosić słowami. Te eteryczne istoty wiedziały, co się stało i co miało się wydarzyć w przyszłości, w ich świecie bowiem czas nie istniał. W tym odmiennym świecie przebywały dusze zmarłych przodków oraz istot, które miały się dopiero narodzić, zarówno te, które na zawsze skazane były na swą eteryczną formę, jak i inne, gotowe w każdej chwili przybrać materialną postać na tej lub zupełnie odmiennej planecie, tu albo gdzieś indziej.

Nadia i Alexander dowiedzieli się, że duchy rzadko kiedy mieszają się do wydarzeń zachodzących w świecie materii, choć czasami pomagają zwierzętom poprzez intuicję, a ludziom przez wyobraźnię, sny, twórczość lub objawienia mistyczne albo duchowe. Przeważająca część ludzi nie utrzymuje kontaktu ze światem duchów i nie dostrzega znaków, nie zwraca uwagi na zbiegi okoliczności ani na przeczucia, nie widzi też tych maleńkich codziennych cudów, którymi dają o sobie znać siły nadprzyrodzone. Ludzie powinni zrozumieć, że to nie duchy zsyłają choroby, nieszczęścia i śmierć, jak się im to wmawia; cierpienie rodzi się z nikczemności i głupoty. Nie mszczą się też na tych, którzy wkraczają na ich terytorium lub obrażają, nie posiadają bowiem żadnego terytorium i nie można ich obrazić. Ofiary, podarki i modły w ogóle do nich nie docierają, służą tylko i wyłącznie do uspokojenia osoby próbującej wkraść się w ich łaski.

Jak długo trwał ten milczący dialog z duchami, nie sposób było ustalić. Jasność poczęła się stopniowo wzmagać, a przestrzeń, w jakiej się znajdowali, poszerzać. Mur, który sforsowali, by dostać się na cmentarz, rozpłynął się w powietrzu i nagle znaleźli się w samym środku lasu, choć niewiele miał on wspólnego z tym, który przemierzali wcześniej. Nic nie było takie samo, wokół czuło się promieniującą energię. Drzewa nie tworzyły już jednolitej zielonej masy, teraz każde posiadało swój własny charakter, imię oraz wspomnienia. Te najwyższe, z których nasion czerpały życie inne, młodsze, opowiedziały im swoją historię. Stare rośliny zwierzyły się z pragnienia, by jak najszybciej obumrzeć i użyźnić sobą glebę, natomiast te nowo narodzone rozprostowywały świeże pędy, by cieszyć się życiem. Słychać było nieprzerwany gwar przyrody, przemyślne formy porozumiewania się gatunków.

Otoczyły ich setki zwierząt, o istnieniu niektórych z nich nie mieli nawet pojęcia: dziwaczne okapi o długaśnej szyi, podobne do niewyrośniętych żyraf, piżmowce, cywety, mangusty, polatuchy, afrykańskie koty złote i pręgowane antylopy przypominające zebry, mrówkojady pokryte łuskami i całe mnóstwo oblegających drzewa małp. Wszystkie one gaworzyły jak dzieci w magicznej poświacie tej nocy. Przed Alexandrem i Nadią przemaszerowały w serdecznej komitywie lamparty, krokodyle, nosorożce i wiele innych budzących respekt zwierząt. Tysiące niezwykłych ptaków napełniło las swoimi głosami i rozjaśniły noc swym jaskrawym upierzeniem. Tańczyły przed nimi chmary owadów, pieszczone delikatnymi podmuchami wiatru: wielobarwne motyle, fosforyzujące żuki, hałaśliwe świerszcze, delikatne robaczki świętojańskie. Na ziemi roiło się od gadów: żmij, żółwi i wielkich jaszczurek – potomków dinozaurów – obserwujących przybyszy ślepiami o potrójnych powiekach.

Znajdowali się w sercu niematerialnej puszczy, otoczeni przez całe szeregi dusz zwierząt i roślin. Umysły Alexandra i Nadii poczęły szybować w przestrzeni; czuli, że istnieje łączność między wszystkimi istotami, że cały wszechświat oplatają prądy energii – misterna sieć, cienka jak jedwab, silna jak stal. Pojęli, że nic nie istnieje w izolacji; każda rzecz, od myśli po huragan, ma wpływ na inne. Czuli, jak pulsuje życiem ziemia, ten potężny organizm tulący na swoim łonie florę i faunę, góry, rzeki, wiatr owiewający równiny, lawę płynącą z wulkanów, wieczne śniegi zalegające na najwyższych szczytach. Zrozumieli, że ta matka-planeta stanowi część innych, większych organizmów, że jest połączona z niezliczoną liczbą ciał niebieskich zawieszonych na przeogromnym firmamencie.

Młodzi podróżnicy uświadomili sobie, że wszystko przebiega w nieustannym cyklu: życie, śmierć, przemiany i ponowne narodziny; zobaczyli urzekający świat, w którym wszystko dzieje się jednocześnie, wyzute z przeszłości, teraźniejszości i przyszłości, teraz od zawsze i na zawsze.

I w końcu, na ostatnim etapie tej zapierającej dech odysei, zrozumieli, że niezliczone dusze, jak wszystko we wszechświecie, to cząstki jednego ducha, jak krople wody składające się na ocean. Jeden jedyny duchowy pierwiastek ożywia wszystko, co istnieje. Nie ma podziału między istotami, nie ma granicy między życiem a śmiercią.

Podczas tej niewiarygodnej podróży Nadia i Alexander ani przez chwilę nie odczuwali lęku. Początkowo mieli wrażenie, iż unoszą się w mgławicy snu, i ogarnął ich błogi spokój, jednak w miarę jak ta duchowa wędrówka wzbogacała ich zmysły i wyobraźnię, ten stan wewnętrznego odprężenia ustąpił miejsca euforii – poczuli się w pełni szczęśliwi, pełni siły i energii.

Kontynuujący swoją wędrówkę po firmamencie księżyc zniknął w lesie. Jeszcze przez kilka minut towarzysząca zjawom jasność utrzymywała się w powietrzu, podczas gdy pszczele bzyczenie i chłód stopniowo zanikały. Gdy Nadia i Alexander ocknęli się z transu, zobaczyli, że wciąż znajdują się pośród grobów i że Borobá wisi u pasa Nadii. Przez chwilę trwali w bezruchu, nic nie mówiąc, chcieli bowiem, by ten czar trwał jak najdłużej. Następnie spojrzeli po sobie, zmieszani, wątpiąc w prawdziwość tego, co właśnie przeżyli, ale wtedy pojawiła się przed nimi królowa Nana-Asante, potwierdzając, że nie padli ofiarą halucynacji.

Od królowej biło silne wewnętrzne światło. Alex i Nadia zobaczyli ją teraz w jej prawdziwej postaci, niczym nie przypominała tamtej budzącej litość staruchy, a właściwie pokrytej łachmanami kupki kości. Stała przed nimi kobieta godna podziwu: prawdziwa amazonka, odwieczna bogini lasu. Przez te wszystkie lata medytacji i odosobnienia pośród zmarłych Nana-Asante posiadła ich mądrość; oczyściła swe serce z nienawiści i chciwości, niczego nie pragnęła, nic nie zakłócało jej wewnętrznego spokoju, niczego się nie lękała. Była odważna, bo nie trzymała się kurczowo życia, była silna, bo przepełniało ją współczucie, sprawiedliwa, bo intuicja podpowiadała jej prawdę, niepokonana, bo u jej boku stała armia duchów.

– Ludzie Ngoubé bardzo cierpią. Za twoich rządów w wiosce panował pokój, Bantu i Pigmeje pamiętają tamte czasy. Proszę, przyłącz się do nas, potrzebujemy twojej pomocy, Nano-Asante – błagała Nadia.

– Chodźmy – odpowiedziała królowa bez chwili wahania, jakby od lat czekała na tę chwilę.

ROZDZIAŁ 12

Królestwo strachu

Podczas dwóch dni, jakie Nadia i Alexander spędzili w puszczy, w Ngoubé doszło do serii dramatycznych wydarzeń. Kate, Angie, brat Fernando i Joel González nie zobaczyli już więcej Kosonga, teraz mieli do czynienia tylko z Mbembelé, który ponad wszelką wątpliwość był groźniejszy od króla. Dowiedziawszy się o zniknięciu dwóch jeńców, komendant bardziej przejął się ukaraniem strażników, którzy pozwolili im uciec, niż losem nieobecnych. Nie kiwnął palcem, by ich odnaleźć, a gdy Kate zwróciła się do niego o pomoc w poszukiwaniach, odmówił.

– Są już martwi, nie będę tracił na nich czasu. Nikt nie przeżyje nocy w lesie z wyjątkiem Pigmejów, ale oni nie są ludźmi – odpowiedział jej Mbembelé.

– W takim razie proszę przydzielić mi kilku Pigmejów do pomocy w poszukiwaniach – domagała się Kate.

Mbembelé nie miał zwyczaju odpowiadać na pytania, a tym bardziej na żądania, dlatego nikt nie ważył się ich wysuwać wobec niego. Bezczelność starej cudzoziemki bardziej go zdumiała, niż rozwścieczyła, nie mógł uwierzyć w taką zuchwałość. Zamarł, przypatrując się bez słowa Kate zza swoich budzących grozę lustrzanych okularów, a krople potu spływały mu po ogolonej czaszce i po nagich ramionach poznaczonych rytualnymi bliznami. Znajdowali się w jego gabinecie, bo właśnie tu kazał przyprowadzić pisarkę.

Była to cela wyposażona w rozklekotane metalowe biurko, stojące w kącie, i dwa krzesła. Przerażona Kate ujrzała narzędzia tortur i ciemne plamy, prawdopodobnie z krwi, na glinianych ścianach bielonych wapnem. Nie ulegało wątpliwości, że komendant, sprowadzając tu Kate, chciał ją zastraszyć, i dopiął swego, jednak ona ani myślała dać to po sobie poznać. Liczyła wprawdzie na swój amerykański paszport i legitymację dziennikarską, ale i one niewiele by jej pomogły, gdyby Mbembelé wyczuł, że się go boi.

Miała wrażenie, że komendant, w przeciwieństwie do Kosonga, nie uwierzył w bajeczkę o wywiadzie z królem; prawdopodobnie podejrzewał, iż prawdziwym celem ich wizyty było poznanie prawdy o losie zaginionych misjonarzy. Mbembelé miał ich w garści, ale powinien się dobrze zastanowić, zanim zechce dać upust swemu okrucieństwu, nie mógł bezkarnie znęcać się nad cudzoziemcami – pomyślała Kate, niepoprawna optymistka. Dręczenie tych biedaków, którzy musieli znosić jego rządy w Ngoubé, to jedno, a wyżywanie się na obcokrajowcach to coś zupełnie innego, tym bardziej na białych obcokrajowcach. Mbembelé nie narażałby się na śledztwo ze strony lokalnych władz. Komendantowi zależało, by jak najszybciej pozbyć się niewygodnych gości, bo gdyby udało im się coś wywęszyć, musiałby ich zabić. Wiedział, że nie odejdą bez Nadii i Alexandra, a to komplikowało sprawę. Kate doszła do wniosku, że będą musieli mieć się na baczności, komendantowi bowiem byłoby na rękę, gdyby jego gościom przytrafił się nieszczęśliwy wypadek. Pisarce nie przyszło do głowy, że przynajmniej jeden uczestnik wyprawy był w Ngoubé mile widziany.

– Jak się nazywa druga kobieta z waszej grupy? – zapytał Mbembelé po długiej przerwie.

– Angie, Angie Ninderera. To ona dowiozła nas tu swoim samolotem, ale…

– Jego Wysokość król Kosongo zgodził się włączyć ją do grona swoich małżonek.

Pod Kate Cold ugięły się nogi. To, co poprzedniego wieczoru było żartem, zamieniło się w przykrą – a być może również niebezpieczną – rzeczywistość. Jak Angie przyjmie zaloty Kosonga?

Nadia i Alexander powinni niebawem wrócić, jak wynikało z pozostawionej przez jej wnuka wiadomości. Na poprzednich wyprawach również sporo się przez nich nadenerwowała, ale zawsze wracali cali i zdrowi. Powinna im zaufać. Najważniejsze, by grupa była znowu w komplecie, potem pomyślą, w jaki sposób powrócić na łono cywilizacji. Przyszło jej do głowy, że dzięki nagłemu zainteresowaniu króla osobą Angie mogli zyskać na czasie.

– Czy mam przekazać Angie prośbę króla? – zapytała Kate, gdy odzyskała głos.

– To nie prośba, to rozkaz. Porozmawiaj z nią. Zobaczymy się podczas jutrzejszego turnieju. Do tego czasu możecie się swobodnie poruszać po wiosce, zabraniam wam jedynie zbliżać się do królewskiej rezydencji, zagród oraz studni.

Na gest komendanta pilnujący wyjścia żołnierz chwycił Kate za ramię i wyprowadził. Światło słoneczne na chwilę oślepiło leciwą pisarkę.

Powróciwszy do swoich towarzyszy, Kate przekazała Angie matrymonialne rozporządzenie. Jak można było oczekiwać, pilotka nie przyjęła go najlepiej.

– Przenigdy nie dołączę do stada żon Kosonga! – krzyknęła wściekle.

– To się rozumie samo przez się, Angie, ale przynajmniej mogłabyś być dla niego miła przez kilka dni i...

– Ani przez minutę! Przyznam, że gdyby chodziło nie o Kosonga, ale o komendanta... – westchnęła Angie.

– Mbembelé to potwór! – przerwała jej Kate.

– Żartowałam, Kate. Nie zamierzam być miła ani dla Kosonga, ani dla Mbembelé, ani dla nikogo innego. Zamierzam natomiast jak najszybciej wydostać się z tego piekła, odzyskać mój samolot i umknąć tam, gdzie ci bandyci nie będą mnie mogli znaleźć.

– Jeśli odwróci pani uwagę króla, tak jak sugeruje pani Cold, zyskamy na czasie – argumentował brat Fernando.

– Jak sobie to ksiądz wyobraża? Proszę na mnie spojrzeć! Mam brudne i przemoczone ubranie, zgubiłam szminkę, a moja fryzura woła o pomstę do nieba. Wyglądam jak jeżozwierz! – krzyknęła Angie, wskazując na swoje ubłocone, sterczące na wszystkie strony włosy.

– Tubylcy są zastraszeni – przerwał jej misjonarz, zmieniając temat. – Nie chcą odpowiadać na pytania, ale to i owo udało mi się z nich wyciągnąć. Wiem na pewno, że moi bracia tu byli i że zaginęli wiele miesięcy temu. Nie mogli tak po prostu odejść. Najprawdopodobniej powiększyli grono męczenników.

– Chce ksiądz powiedzieć, że ich zabito? – zapytała Kate.

– Tak. Myślę, że oddali życie za Chrystusa. Mam tylko w Bogu nadzieję, że zbytnio nie cierpieli.

– Jest mi naprawdę bardzo przykro – powiedziała poruszona Angie, poważniejąc w mgnieniu oka. – Proszę mi wybaczyć moją frywolność i zły humor. Może ksiądz na mnie liczyć, zrobię wszystko, co tylko w mojej mocy. Jeśli trzeba, odtańczę przed Kosongiem taniec brzucha.

– Nie wymagam aż tyle, panno Ninderera – odparł ze smutkiem misjonarz.

– Proszę mi mówić Angie – poprosiła pilotka.

Reszta dnia upłynęła im na wyczekiwaniu na powrót Nadii i Alexandra, kręceniu się po osadzie w poszukiwaniu informacji oraz planowaniu ucieczki. Strażnicy, którzy nie dopilnowali jeńców poprzedniej nocy, zostali aresztowani, a ponieważ na ich miejsce nie przysłano zmienników, grupa korzystała ze swobody. Dowiedzieli się, że żołnierze Mbembelé to członkowie Bractwa Lamparta, którzy zdezerterowali z regularnej armii i przybyli do Ngoubé z komendantem, i tylko oni mieli dostęp do broni palnej przechowywanej w żołnierskiej kwaterze. Strażników Bantu rekrutowano siłą we wczesnej młodości. Byli źle uzbrojeni, głównie w maczety i noże, a rozkazy wypełniali bardziej ze strachu niż z lojalności. Dowodząca nimi garstka żołnierzy Mbembelé zmuszała ich do gnębienia pozostałych Bantu, czyli własnych krewnych i przyjaciół.

Komendant utrzymywał dyscyplinę okrutnymi metodami: buntowników i dezerterów zabijano bez sądu.

Kobiety z Ngoubé, które dawniej cieszyły się niezależnością i brały udział w podejmowaniu decyzji dotyczących społeczności, utraciły swoje prawa. Zmuszano je do pracy na plantacjach Kosonga i do usługiwania mężczyznom. Młode dziewczęta wyróżniające się urodą trafiały do królewskiego haremu. Wprowadzony przez komendanta system inwigilacji obejmował nawet dzieci, które przyuczano do szpiegowania własnej rodziny. Samo tylko oskarżenie o zdradę, choćby niepoparte żadnymi dowodami, wystarczało, by stracić życie. Na początku zabito wiele osób, ale ponieważ okolica nie była gęsto zaludniona, król i komendant, zdawszy sobie sprawę, że zaczyna brakować im poddanych, musieli nieco pohamować swoje zapędy.

Mogli też zawsze liczyć na pomoc czarownika Sombe, który zjawiał się na każde ich wezwanie. Tubylcy nie mogli się obejść bez znachorów i czarowników, którzy służyli im jako łącznicy ze światem duchów, leczyli chorych, rzucali i zdejmowali uroki oraz wytwarzali ochronne amulety. Śmierć uważano z reguły za skutek czarnej magii. Gdy ktoś umierał, zadaniem czarownika było wskazanie sprawcy tragedii, odczynienie uroku i ukaranie winnego lub zmuszenie go do wypłacenia odszkodowania rodzinie nieboszczyka. To właśnie dawało mu władzę nad lokalną społecznością. W Ngoubé, podobnie jak w wielu innych regionach Afryki, nigdy nie brakowało bardziej lub mniej poważanych czarowników, żaden z nich jednak nie mógł się równać z Sombe.

Nikt nie wiedział, gdzie mieszka ten straszny czarownik. Zjawiał się w wiosce jak demon, wykonywał swoje zadanie, po czym znikał bez śladu i nie dawał znaku życia przez następne tygodnie lub miesiące. Był tak groźny, że nawet Kosongo i Mbembelé unikali jego towarzystwa i zaszywali się w swoich rezydencjach na czas jego wizyty. Wzbudzał postrach swoim wyglądem. Był ogromny – dorównywał wzrostem komendantowi Mbembelé – a gdy wpadał w trans, wstępowała w niego nadzwyczajna siła: podnosił wielkie pnie, jakich sześciu chłopa nie mogło ruszyć z miejsca. Miał lamparcią maskę i naszyjnik z ludzkich palców, które, jak zapewniano, obciął swoim ofiarom ostrzem spojrzenia, podobnie jak podczas pokazów czarnej magii bez dotykania ucinał głowy kogutom.

– Chciałabym poznać sławnego Sombe – rzuciła Kate, gdy przyjaciele dzielili się zdobytymi informacjami.

– A ja chciałbym sfotografować jego iluzjonistyczne sztuczki – dodał Joel González.

– Być może nie są to żadne sztuczki. Magia wudu potrafi być bardzo niebezpieczna – powiedziała Angie, wzdrygając się.

Podczas drugiej, dłużącej się im w nieskończoność nocy w lepiance, pomimo smrodu palonej żywicy oraz czarnego dymu nie zgasili pochodni, w ten sposób bowiem mogli mieć na oku karaluchy i szczury. Kate przeleżała bezsennie wiele godzin, nasłuchując i czekając na powrót Nadii i Alexandra. Gdy już nie mogła dłużej znieść panującej w chacie duchoty, wyszła, korzystając z nieobecności strażników, by zaczerpnąć świeżego powietrza. Angie wpadła na ten sam pomysł i usiadły razem na ziemi, ramię przy ramieniu.

– Co ja bym teraz dała za papierosa… – westchnęła Angie.

– Masz okazję wziąć ze mnie przykład i rzucić nałóg. Powoduje raka płuc – pouczyła ją Kate. – Co powiesz na łyczek wódki?

– A alkohol nie jest nałogiem, Kate? – zaśmiała się Angie.

– Robisz ze mnie alkoholiczkę? Jak możesz?! Czasami pociągnę sobie trochę, by ukoić ból kości, nic ponadto.

– Musimy się stąd wydostać, Kate.

– Nie bez mojego wnuka i Nadii – odparła pisarka.

– Jak długo zamierzasz na nich czekać? Łódki mają po nas przypłynąć pojutrze.

– Do tej pory zdążą wrócić.

– A jeśli nie?

– W takim razie wy uciekniecie, a ja zostanę – rzuciła Kate.

– Nie zostawię cię tu samej, Kate.

– Sprowadzicie pomoc. Skontaktujesz się z redakcją „International Geographic" i z ambasadą amerykańską. Powiesz im, gdzie nas szukać.

– Możemy mieć tylko nadzieję, że któraś z wysłanych przez radio wiadomości dotarła do Michaela Mushahy. Ja bym jednak na to nie liczyła – powiedziała Angie.

Przez dłuższy czas siedziały w milczeniu. Mimo tak trudnej sytuacji, w jakiej się znalazły, potrafiły docenić piękno księżycowej nocy. O tej porze w wiosce pozostało niewiele zapalonych pochodni – wyjątkiem były te oświetlające królewską rezydencję i kwaterę żołnierzy. Napływał ku nim nieprzerwany gwar lasu i przenikliwy zapach wilgotnej ziemi. Zaledwie kilka kroków dzieliło je od innego świata, świata istot, które nie znały słońca i które przyglądały się im teraz z mroku.

– Wiesz, czym jest tutejsza studnia, Angie? – zapytała Kate.

– Ta, o której wspominali w listach misjonarze?

– To coś innego, niż myśleliśmy. Nie chodzi o studnię z wodą – powiedziała Kate.

– Nie? W takim razie o co?

– O miejsce straceń.

– Co ty wygadujesz!? – zawołała Angie.

– Dokładnie to, co słyszysz. Znajduje się na tyłach królewskiej rezydencji, otacza ją palisada. Nie wolno się tam zbliżać.

– Czy to cmentarz?

– Nie. To coś podobnego do stawu lub zbiornika na wodę. Trzymają tam krokodyle…

Angie zerwała się na równe nogi, tracąc oddech. Wydawało się jej, że zamiast płuc ma w piersiach lokomotywę. Słowa Kate potwierdziły zasadność lęku, który nie opuszczał jej od chwili, gdy jej awionetka rozbiła się na plaży, a ona została rzucona na łaskę losu w tym barbarzyńskim zakątku. Godzina po godzinie, dzień po dniu utwierdzała się w przekonaniu, że jej życie nieubłaganie dobiega kresu. Dotąd myślała, że zginie młodo w wypadku lotniczym, ale Ma Bangesé, wróżka z targowiska, wywróżyła jej krokodyle. Z początku nie brała przepowiedni zbyt poważnie, ale kilka dramatycznych spotkań z tymi gadami wystarczyło, by wróżba zapuściła korzenie w jej podświadomości, zamieniając się w prawdziwą obsesję. Kate odgadła myśli przyjaciółki.

– Nie bądź przesądna, Angie. Fakt, że Kosongo hoduje krokodyle, nie oznacza, że będziesz ich kolacją.

– To moje przeznaczenie, Kate, nie mogę od niego uciec.

– Wydostaniemy się stąd cali i zdrowi, Angie. Obiecuję.

– Nie powinnaś dawać obietnic, których nie możesz spełnić. Co jeszcze wiesz?

– W studni kończą ci, którzy buntują się przeciwko Kosongowi i Mbembelé. Dowiedziałam się tego od Pigmejek. Ich mężowie muszą polować, by krokodyle miały co jeść. Te kobiety wiedzą o wszystkim, co dzieje się w wiosce. Są niewolnicami Bantu, wykonują najcięższe prace, mają dostęp do ich domów, słuchają rozmów, obserwują. Za dnia chodzą wolno, zamykane są jedynie na noc. Nikt nie zwraca na nie uwagi, uważane są bowiem za istoty pozbawione ludzkiej inteligencji.

– Myślisz, że tak właśnie zginęli misjonarze i dlatego nie pozostał po nich żaden ślad? – zapytała Angie, znów się wzdrygając.

– Tak, ale nie jestem do końca pewna, dlatego wolałam jeszcze o tym nie mówić bratu Fernandowi. Jutro spróbuję dowiedzieć się prawdy i jeśli mi się uda, rzucę okiem na studnię. Powinniśmy ją sfotografować, nie mogę jej pominąć w swoim reportażu – zadecydowała Kate.

Nazajutrz Kate stawiła się ponownie przed komendantem Mbembelé, by go poinformować, że Angie Ninderera czuje się zaszczycona królewskimi względami i jest skłonna przyjąć propozycję monarchy, prosi jednak o przynajmniej kilka dni do namysłu, ponieważ obiecała już swą rękę pewnemu potężnemu czarownikowi z Botswany, a przecież wiadomo, jak niebezpiecznie jest zdradzać czarowników, nawet jeśli znajdują się bardzo daleko.

– W takim razie król Kosongo nie jest już zainteresowany ożenkiem z tą kobietą – zadecydował komendant.

Kate natychmiast spuściła z tonu. Nie przypuszczała, że Mbembelé potraktuje sprawę tak poważnie.

– Nie powinien pan porozumieć się wcześniej z Jego Wysokością, komendancie?

– Nie.

– Tak naprawdę Angie Ninderera nie dała jeszcze czarownikowi ostatecznej odpowiedzi, powiedzmy, że nie jest jeszcze formalnie zaręczona. Rozumie pan, co mam na myśli? Mówiono mi, że w tej okolicy mieszka Sombe, najpotężniejszy w całej Afryce czarownik, być może on zdoła obronić Angie przed zakusami jej poprzedniego konkurenta – lawirowała Kate.

– Być może.

– Kiedy sławny Sombe zawita do Ngoubé?

– Zadajesz za dużo pytań, stara babo, jesteś uciążliwa jak *mopani* – rzucił komendant, wykonując ruch, jak gdyby odganiał się od pszczoły. – Porozmawiam z królem. Pomyślimy, jak sobie poradzić z tamtym konkurentem.

– Jeszcze jedno, komendancie – rzuciła Kate od drzwi.

– Czego jeszcze chcesz?

– Przydzielone nam komnaty są bardzo ładne, ale nieco brudne, uzbierało się tam trochę szczurzych i nietoperzych odchodów.

– No to co?

– Angie Ninderera jest bardzo wrażliwa, brzydkie zapachy jej szkodzą. Może mógłby pan z łaski swojej przydzielić nam niewolnicę, która zajęłaby się sprzątaniem i przygotowywaniem posiłków.

– Niech będzie – zgodził się komendant.

Służąca, którą im przysłano, przypominała małą dziewczynkę, miała na sobie tylko spódniczkę z rafii, mierzyła nie więcej niż metr czterdzieści wzrostu i była szczupła, ale silna. Przyniosła ze sobą miotłę z gałęzi i zabrała się do zamiatania klepiska, co robiła w tempie iście zawrotnym. Im więcej kurzu podnosiło się z klepiska, tym gorszy się stawał smród i brud. Kate kazała jej przestać, w rzeczywistości bowiem sprowadziła ją w innym celu: potrzebowała sojuszniczki. Pigmejka początkowo zdawała się nie rozumieć intencji i gestów Kate, a jej twarz przybrała wyraz tępy jak u owcy, jednak gdy pisarka wspomniała o Beyé-Dokou, rozpromieniła się. Kate zgadywała, że była to tępota pozorowana, służyła jako wybieg obronny.

Za pomocą gestów i kilku słów w języku francuskim i bantu Pigmejka wyjaśniła, że nazywa się Jena i jest żoną Beyé-Dokou. Mają dwójkę dzieci, które widują bardzo rzadko, ponieważ są trzymane w oddzielnej zagrodzie. Do tej pory mogła być o nie spokojna, znajdowały się bowiem pod opieką babć, jednak jutro upływa termin dostarczenia kości słoniowej. Jeśli Beyé-Dokou i pozostałym myśliwym nie uda się polowanie, utracą dzieci – powiedziała Jena, szlochając. Kate nie potrafiła radzić sobie ze łzami, ale Angie i brat Fernando pocieszali Pigmejkę, tłumacząc, że Kosongo nie ośmieli się sprzedać dzieci w obecności zagranicznych dziennikarzy. Jena uważała, że nikt i nic nie może powstrzymać Kosonga.

Złowieszczy odgłos tam-tamów wypełnił afrykańską noc, wstrząsając lasem i przejmując lękiem przybyszów, którzy nasłuchiwali tego ze swojej lepianki z sercem pełnym mrocznych przeczuć.

– Co mogą oznaczać te bębny? – zapytał trwożliwie Joel González.

– Nie wiem, ale na pewno nic dobrego – odparł brat Fernando.

– Mam już tego dość! Przez ten strach nie mogę oddychać, czuję bolesny ucisk w piersi. Chcę się stąd wydostać! – krzyknęła Angie.

– Pomódlmy się, drodzy przyjaciele – zaproponował misjonarz.

W tej samej chwili nadszedł żołnierz i zwróciwszy się do Angie, oznajmił, że komendant Mbembelé życzy sobie, by była ona obecna na mającym się właśnie rozpocząć turnieju.

– Pójdę w towarzystwie moich przyjaciół – powiedziała pilotka.

– Proszę bardzo – odparł posłaniec.

– Dlaczego biją w bębny? – zapytała Angie.

– *Ezenji* – brzmiała lakoniczna odpowiedź żołnierza.

– Taniec śmierci?

Mężczyzna nie odpowiedział, odwrócił się i wyszedł. Poczęli się naradzać. Joel González uważał, że niechybnie chodzi o śmierć w dosłownym tego słowa znaczeniu i że to oni mają odegrać główne role w przedstawieniu. Kate kazała mu się zamknąć.

– Zaczynają mi przez ciebie puszczać nerwy, Joelu. Nawet jeśli zamierzają nas zabić, nie zrobią tego publicznie. Będą woleli uniknąć międzynarodowego skandalu.

– Niby kto się o tym dowie, Kate? Jesteśmy na łasce tych szaleńców. Myślisz, że obchodzi ich, co o nich sądzi reszta świata? Zrobią, co im się podoba – jęknął Joel.

Na placu zgromadzili się wszyscy mieszkańcy wioski z wyjątkiem Pigmejów. Wapnem zakreślono na ziemi czworobok, wyznaczający coś w rodzaju ringu, i oświetlono go pochodniami. Pod Drzewem Słów zasiadł komendant w towarzystwie swoich „oficerów", czyli wszystkich dziesięciu żołnierzy z Bractwa Lamparta, którzy stanęli za krzesłem zajmowanym przez ich dowódcę. Mbembelé ubrany był tak jak zwykle w wojskowe spodnie i buty, a na twarzy, mimo że zapadła już noc, miał nieodłączne lustrzane okulary. Angie Ninderere usadzono na krześle zaledwie kilka kroków od komendanta, jej towarzysze natomiast zostali zignorowani. Król Kosongo nie był obecny, choć jego małżonki stały w gromadce na swoim tradycyjnym miejscu za drzewem pod czujnym okiem starego sadysty z bambusową rózgą.

Królewskie „wojsko" też było obecne: żołnierze Bractwa Lamparta z karabinami i strażnicy uzbrojeni w maczety, noże i kije. Strażnicy byli bardzo młodzi i wyglądali na przestraszonych, podobnie jak reszta mieszkańców wioski. Cudzoziemcy mieli niebawem zrozumieć dlaczego.

Trzej muzycy, w górze od wojskowego munduru, ale bez spodni, ci sami, którzy tamtej nocy, gdy Kate i jej towarzysze przybyli do

Ngoubé, grali na kijach, tym razem dostali bębny. Wydobywali z nich monotonne, posępne dźwięki, w niczym nieprzypominające muzyki Pigmejów. Złowrogie bębnienie rozbrzmiewało jeszcze przez długi czas, dopóki księżyc nie wzmocnił swoją poświatą blasku pochodni. Przyniesiono plastikowe bidony i tykwy z winem palmowym, które poczęły krążyć z rąk do rąk. Tym razem poczęstowano także kobiety, dzieci i gości. Komendant raczył się amerykańską whisky, pochodzącą zapewne z przemytu. Pociągnął parę łyków i podsunął butelkę Angie, która odmówiła z godnością, ponieważ pod żadnym pozorem nie zamierzała spoufalać się z tym typem. Jednak gdy ten poczęstował ją papierosem, nie zdołała się oprzeć: nie paliła już całe wieki.

Na znak Mbembelé muzycy poczęli wybijać werbel, ogłaszając początek przedstawienia. Z przeciwnego końca placu doprowadzono dwóch strażników, którzy, trzymając wartę przed lepianką cudzoziemców, pozwolili się wymknąć Nadii i Alexandrowi, i wepchnięto ich do owego czworoboku, gdzie trwali teraz na klęczkach, z opuszczoną głową, drżąc. Wydawali się bardzo młodzi, Kate przypuszczała, że mogli być rówieśnikami jej wnuka, wyglądali na siedemnaście, osiemnaście lat. Jakaś kobieta, być może matka jednego ze skazańców, krzyknęła i rzuciła się ich w stronę, ale jej sąsiadki przytrzymały ją, objęły i szepcząc słowa otuchy, wyprowadziły.

Mbembelé podniósł się z krzesła i stanął w rozkroku: z rękami na biodrach, z połyskującą od potu wygoloną czaszką i z obnażonym torsem atlety. Ta poza, w połączeniu z wysuniętą szczęką i zasłaniającymi mu oczy okularami słonecznymi, upodobniała go do oprycha z filmu akcji. Komendant warknął kilka zdań w niezrozumiałym dla gości języku, po czym znowu rozsiadł się na krześle. Jeden z żołnierzy podszedł do strażników stojących na ringu i wręczył im sztylety.

Kate i jej przyjaciele bardzo szybko pojęli zasady gry. Ci dwaj strażnicy musieli stoczyć ze sobą walkę o życie, a ich towarzysze, podobnie jak rodzina i przyjaciele, musieli przyglądać się tej okrutnej formie wpajania dyscypliny. *Ezenji*, rytualny taniec, którym

Pigmeje zwykli byli przed wyruszeniem na polowanie przyzywać wielkiego ducha lasu, w Ngoubé uległ wynaturzeniu, zamieniając się w śmiertelne szranki.

Walka nie trwała długo. Przez pierwsze kilka minut zdawali się tańczyć w kręgu, ściskając sztylety i wyczekując na błąd przeciwnika, by zadać cios. Mbembelé i jego siepacze podżegali ich krzykiem i szyderstwami, podczas gdy reszta widowni milczała. Pozostali strażnicy byli przerażeni, ponieważ przeczuwali, że i oni mogą trafić pewnego dnia na wytyczony kredą ring. Mieszkańcy Ngoubé, bezsilni i wściekli, żegnali się z młodymi skazańcami; tylko strach przed Mbembelé oraz otępienie, w jakie wprawiło ich wino palmowe, zdołały zapobiec buntowi. Jako że tubylców łączyły różnorakie więzy krwi, ci, którzy patrzyli na ten pojedynek, byli krewnymi chłopców ze sztyletami.

W końcu skazańcy zdecydowali się na atak. Ostrza noży rozbłysły na chwilę w świetle pochodni, by po chwili zatopić się w ciałach. Podwójny krzyk rozdarł noc i obaj młodzieńcy zwalili się na ziemię: jeden tarzał się w piachu, drugi stał na czworakach, ciągle z bronią w dłoni. Zdawało się, że księżyc zamarł na niebie, a całe Ngoubé wstrzymało oddech. Ciało leżącego na ziemi młodzieńca drgało jeszcze przez kilka długich minut, po czym znieruchomiało. Wtedy jego przeciwnik wypuścił nóż, nakrył głowę ramionami i przywarł czołem do ziemi, zanosząc się spazmatycznym szlochem.

Mbembelé wstał, z ostentacyjną flegmą wszedł na ring i czubkiem buta odwrócił ciało pierwszego strażnika. Następnie sięgnął po pistolet, który nosił u pasa, i wycelował go w głowę drugiego. W tym momencie Angie Ninderera skoczyła na środek placu i uwiesiła się na komendancie z taką zręcznością i siłą, że zupełnie go to zaskoczyło. Kula wbiła się w ziemię, kilka centymetrów od głowy skazańca. Krzyk przerażenia obiegł całą wioskę – nikt nie miał prawa dotykać komendanta. Nigdy jeszcze nie odważono mu się sprzeciwić w taki sposób. Postępek Angie wprawił w osłupienie nawet komendanta, potrzebował kilku sekund, by dojść do siebie. W tym czasie napastniczka zdążyła ustawić się przed lufą pistoletu, zasłaniając sobą ofiarę.

– Proszę przekazać królowi Kosongowi, że przyjmuję jego oświadczyny i w ślubnym podarunku pragnę otrzymać życie tych dwóch strażników – powiedziała dobitnie.

Mbembelé i Angie zmierzyli się wzrokiem, wymieniając dzikie spojrzenia, jak dwaj pięściarze gotujący się do walki. Komendant przerastał ją o pół głowy i był od niej znacznie silniejszy, poza tym miał pistolet. Angie należała jednak do ludzi obdarzonych niezachwianą wiarą w siebie. Uważała się za inteligentną i urodziwą osobę, której nie sposób się oprzeć. Potrafiła poczynać sobie zuchwale, co pomagało jej stawiać na swoim. Oparła dłonie na obnażonym torsie znienawidzonego wojskowego – dotykając go po raz wtóry – i lekko odepchnęła, każąc mu się cofnąć. Następnie poraziła go uśmiechem, który wytrąciłby broń z ręki najdzikszemu brutalowi.

– Teraz i owszem, z przyjemnością napiję się z panem whisky, komendancie – rzuciła radośnie, jak gdyby obejrzeli właśnie cyrkowy występ, a nie śmiertelny pojedynek.

Tymczasem brat Fernando, Kate i Joel González zajęli się obydwoma strażnikami. Jeden był cały we krwi i nie mógł utrzymać się na nogach, jego towarzysz natomiast stracił przytomność. Wzięli ich pod ręce i niemal wlokąc po ziemi, doprowadzili do lepianki, w której byli zakwaterowani. Mieszkańcy Ngoubé, strażnicy i żołnierze przyglądali się całej scenie w bezgranicznym zdumieniu.

ROZDZIAŁ 13

Dawid i Goliat

Królowa Nana-Asante poprowadziła Nadię i Alexandra wąską leśną ścieżyną łączącą wioskę duchów z ołtarzem wudu, przy którym czekał Beyé-Dokou. Słońce jeszcze nie wzeszło, a księżyc zdążył już zniknąć, była to więc najciemniejsza pora nocy. Alex miał jednak latarkę, a Nana-Asante znała drogę na pamięć – chodziła tędy często, by podkraść pożywienie, które Pigmeje składali w darze swoim przodkom.

Doświadczenia przeżyte w świecie duchów odmieniły Alexandra i Nadię. Na kilka godzin przestali być odrębnymi istotami, zlewając się z ogółem wszystkiego, co istnieje. Poczuli w sobie siłę, pewność, jasność myśli – mogli kontemplować rzeczywistość z bogatszej, świetlistej perspektywy. Przestali się bać – opuścił ich nawet strach przed śmiercią, zrozumieli bowiem, że bez względu na to, co się stanie, ciemność nie zdoła ich pochłonąć. Nic ich nigdy nie rozdzieli – stanowili część jednego ducha.

Nie mogli pojąć, że z metafizycznego punktu widzenia zbiry pokroju Maura Cariasa z Amazonii, Specjalisty z Zakazanego Królestwa lub Kosonga z Ngoubé posiadają dusze takie same jak oni. Jak to możliwe, że nie ma różnicy między złoczyńcami a bohaterami, świętymi a zbrodniarzami, tymi, co czynią dobro, i tymi, którzy sieją zniszczenie i zadają ból? Nie znali odpowiedzi na to pytanie, sądzili jednak, że każda istota ludzka swoim doświadczeniem coś wnosi do nieograniczonych duchowych zasobów wszechświata. Jedni stanowią jego ciemną stronę, bo zadają cierpienie powodowane ich niegodziwością, drudzy promienieją światłem danym im za to, że kierują się współczuciem.

Powróciwszy do rzeczywistości, Alex i Nadia pomyśleli o czekającym ich zadaniu. Mieli do spełnienia niecierpiącą zwłoki misję: musieli pomóc uwolnić niewolników i obalić Kosonga. Aby tego dokonać, należało wyrwać z apatii ludność Bantu, która, nie buntując się przeciwko tyranowi, stała się jego sojusznikiem – w niektórych sytuacjach nie można pozostać neutralnym. Uświadomili sobie, że tak naprawdę niewiele zależy od nich – to sami Pigmeje rozstrzygną o swoim losie. Poczuli, że spada im z ramion wielki ciężar.

Beyé-Dokou spał i nie usłyszał ich kroków. Nadia zbudziła go delikatnie. Gdy w świetle latarki ujrzał Nanę-Asante, był przekonany, że stoi przed nim duch. Oczy wyszły mu na wierzch, twarz stała się popielata. Królowa roześmiała się i pogłaskała go po głowie, chcąc mu pokazać, że jest równie żywa jak on. Następnie wyjaśniła mu, że przez te wszystkie lata ukrywała się na cmentarzu ze strachu przed Kosongiem i że nie chce czekać, aż sytuacja sama ulegnie zmianie – nadeszła chwila, by powrócić do Ngoubé, stawić czoło uzurpatorowi i uwolnić swoich poddanych spod ucisku.

– Nadia i ja pójdziemy do Ngoubé, by wszystko przygotować – oznajmił Alex. – Spróbujemy zwerbować sojuszników. Gdy rozejdzie się wieść, że Nana-Asante żyje, w ludziach na pewno obudzi się waleczny duch.

– My dołączymy do was pod wieczór, wtedy właśnie Kosongo spodziewa się naszej wizyty – rzekł Beyé-Dokou w imieniu myśliwych.

Ustalono, że Nana-Asante nie zjawi się w wiosce, dopóki nie będzie pewności, że ludność Ngoubé stanie po jej stronie, w przeciwnym razie Kosongo zabiłby ją zupełnie bezkarnie. Królowa była ich asem w rękawie, jedynym, na jakiego mogli liczyć w tej niebezpiecznej grze, należało zachować go na sam koniec. Jeśli zdołają pozbawić Kosonga rzekomych atrybutów boskości, Bantu być może przestaną się go bać i powstaną przeciwko niemu. Nie można było, oczywiście, pominąć Mbembelé i jego żołnierzy, ale Alex i Nadia przedstawili plan, który spotkał się z aprobatą

Nany-Asante i Beyé-Dokou. Alexander dał królowej swój zegarek, ponieważ Pigmej nie potrafił się nim posługiwać, i ustalili czas i sposób działania.

Wtedy dołączyła do nich reszta myśliwych. Spędzili większość nocy na rytualnych tańcach, prosząc o pomoc *Ezenji* oraz inne bóstwa ze świata zwierząt i roślin. Na widok królowej zareagowali znacznie gorzej niż Beyé-Dokou. Myśleli, że stoi przed nimi zjawa, i rozbiegli się w panice, ścigani przez Beyé-Dokou, który krzycząc, starał się im wytłumaczyć, że nie mają do czynienia z duszą pokutującą. W końcu zaczęli wracać jeden po drugim, bardzo ostrożnie, i odważyli się dotknąć staruszki koniuszkiem drżącego palca. Gdy przekonali się, że jest istotą z krwi i kości, powitali ją z szacunkiem i nadzieją.

Nadii zawdzięczano pomysł, by podać Kosongowi środek usypiający, jakiego używał Michael Mushaha. Poprzedniego dnia była świadkiem, jak jeden z myśliwych powalił małpę za pomocą małej strzały z dmuchawki, broni podobnej do tej, jaką posługiwali się amazońscy Indianie. Pomyślała wtedy, że w ten sam sposób można by zaaplikować środek usypiający Kosongowi. Nie wiedziała tylko, jak król zareagowałby na taki zastrzyk. Skoro w ciągu kilku minut ścinał z nóg nosorożca, prawdopodobnie zabiłby przeciętnego człowieka, ale Kosongo odznaczał się wyjątkowo potężną budową i zapewne wyszedłby z tego cało. Przeszkodę trudną do pokonania stanowił jego gruby płaszcz. Mając do dyspozycji odpowiednią broń, można było przebić nawet skórę słonia, ale strzał z dmuchawki byłby skuteczny tylko wtedy, kiedy trafiłby w obnażoną część królewskiego ciała.

Zapoznawszy się z planem Nadii, Pigmeje wyłonili ze swego grona myśliwego z najlepszymi płucami i celnym okiem. Człowieczek nadął się i przyjął wyróżnienie z uśmiechem, ale moment chwały nie trwał długo: jego towarzysze poczęli natychmiast rechotać i pokpiwać z niego, jak zwykle, gdy któryś wpadał w zachwyt nad samym sobą. Sprowadziwszy go na ziemię, wręczono mu ampułkę ze środkiem usypiającym. Myśliwy schował ją bez słowa do woreczka, który nosił u pasa.

– Król będzie spał jak zabity przez kilka godzin. W tym czasie zdążymy podburzyć Bantu, a potem zjawi się królowa Nana-Asante – wyjaśniła Nadia.

– A jak poradzimy sobie z komendantem i żołnierzami? – zapytali myśliwi.

– Wyzwę Mbembelé na pojedynek – odparł Alex.

Sam nie rozumiał, dlaczego to powiedział, nie miał też pojęcia, w jaki sposób zamierza zrealizować tak karkołomne zadanie – była to po prostu pierwsza myśl, jaka przyszła mu do głowy, i rzucił ją bez zastanowienia. Jak tylko to powiedział, myśl nabrała realnych kształtów i Alex zrozumiał, że nie ma innego wyjścia. Króla musieli pozbawić jego boskich atrybutów, by wyleczyć tubylców ze strachu – kruchego fundamentu, na którym opierała się w gruncie rzeczy cała władza Kosonga – a Mbembelé należało pokonać jego własną prymitywną bronią: siłą.

– Nie wygrasz z nim, Jaguarze. Nie należysz do ludzi jego pokroju, brzydzisz się przemocą. Poza tym on ma broń, a ty w życiu nie strzelałeś – perswadowała mu Nadia.

– To będzie pojedynek bez broni palnej, na gołe ręce lub dzidy.

– Oszalałeś?!

Alex wyjaśnił myśliwym, że posiada potężny talizman, i pokazawszy im skamielinę, którą nosił na piersi, opowiedział, że pochodzi ona od mitologicznego stworzenia, smoka, który zamieszkiwał wysokie góry, Himalaje, w czasach, gdy na ziemi nie było jeszcze ludzi. Talizman – powiedział – chroni go przed ostrymi przedmiotami. Aby tego dowieść, kazał im odejść na dziesięć kroków i rzucić w niego dzidą.

Pigmeje spletli się ramionami, po czym nie przestając sie śmiać i rozmawiać między sobą, utworzyli zwarty krąg, jak zawodnicy w futbolu amerykańskim. Raz po raz słali współczujące spojrzenia młodemu cudzoziemcowi, który namawiał ich do takiego wariactwa. Alex stracił cierpliwość, wszedł między nich i zażądał, by wystawili go na próbę.

Pigmeje bez przekonania ustawili się w rzędzie pomiędzy drzewami, zwijając się ze śmiechu. Alex odmierzył dziesięć kroków, co ze względu na gęstą roślinność nie było wcale proste, odwrócił się do nich, opierając ręce na biodrach, i zawołał, że jest gotów. Jeden po drugim Pigmeje zaczęli ciskać w niego dzidami. Ostrza przelatywały milimetr od niego, niemal się ocierając o jego skórę, ale Alex ani drgnął. Myśliwi, skonfundowani, pozbierali dzidy i ponowili próbę, teraz już bez śmiechów i rzucając dzidami z większą siłą, ale i tym razem nie zdołali go trafić.

– Teraz zaatakujcie mnie maczetami – nakazał Alex.

Dwaj Pigmeje, którzy posiadali maczety, natarli na niego, wrzeszcząc na całe gardło, ale chłopak bez trudu zrobił unik i ostrza wbiły się w ziemię.

– Jesteś bardzo potężnym czarownikiem – orzekli Pigmeje, pełni podziwu.

– Wcale nie, po prostu mój amulet jest prawie tak skuteczny jak Ipemba-Afua – odparł Alex.

– Czy to oznacza, że każdy, kto go nosi, mógłby zrobić to co ty? – zapytał jeden z myśliwych.

– Jak najbardziej.

Pigmeje po raz kolejny zgromadzili się w kręgu, szepcząc z ożywieniem przez długą chwilę, aż w końcu doszli do porozumienia.

– W takim razie to jeden z nas zmierzy się z Mbembelé – orzekli.

– Dlaczego? Mogę sam się tego podjąć – odparł Alexander.

– Nie jesteś tak silny jak my. Jesteś wysoki, ale nie umiesz polować i szybko się męczysz. Nawet nasze kobiety są bardziej wytrzymałe niż ty – powiedział jeden z myśliwych.

– Wielkie dzięki!

– Trudno nie przyznać im racji – wtrąciła Nadia, z trudem powstrzymując się od śmiechu.

– *Tuma* stanie do walki z Mbembelé – zadecydowali Pigmeje.

Wszyscy wskazali na najlepszego myśliwego, Beyé-Dokou, który z pokorą wymówił się od zaszczytu, jak nakazywało pigmejskie dobre wychowanie, choć nietrudno się było domyślić, że był w siódmym niebie. Po długich namowach i prośbach w końcu zgodził się zawiesić na szyi smocze odchody i wystawić się na dzidy towarzyszy. Powtórzyła się niedawna scena i Pigmeje przekonali się, że skamielina jest pancerzem nie do przebicia. Oczami wyobraźni Alex zobaczył Beyé-Dokou – człowieczka drobnego jak dziecko – obok olbrzymiego Mbembelé.

– Znacie historię o Dawidzie i Goliacie? – zapytał.

– Nie – odparli Pigmeje.

– Dawno temu, daleko od tej puszczy, dwa plemiona toczyły ze sobą wojnę. Do jednego należał okryty sławą żołnierz o imieniu Goliat, wielkolud wysoki jak drzewo i silny jak słoń, uzbrojony w miecz ważący tyle co dziesięć maczet. Wszyscy bali się go panicznie. Dawid, chłopiec z drugiego plemienia, odważył się wyzwać go na pojedynek. Jego bronią była proca. Członkowie obu plemion zebrali się, by śledzić walkę. Dawid wystrzelił z procy kamyk, który trafił Goliata między oczy i zwalił z nóg, a wtedy chłopak zabił go jego własnym mieczem.

Słuchacze pokładali się ze śmiechu, opowieść wydała im się wyjątkowo zabawna, choć nie dostrzegli analogii, dopóki Alex nie wyjaśnił, że Goliat to Mbembelé, a Dawid – Beyé-Dokou. Bardzo żałowali, że nie mają procy. Nie wiedzieli, co to takiego, ale wyobrażali sobie, że chodzi o jakąś wspaniałą broń. W końcu ruszyli w drogę, by doprowadzić nowych przyjaciół do Ngoubé. Dotarłszy na miejsce, pożegnali ich, poklepując mocno po ramionach, po czym zniknęli w lesie.

Gdy Alex i Nadia wchodzili do wioski, zaczynało już świtać. Jedynie kilka psów zwróciło na nich uwagę, mieszkańcy Ngoubé spali i nikt nie pilnował dawnej misji. Nie chcąc wystraszyć przyjaciół, zbliżyli się po cichu do wejścia. Na progu wpadli na Kate, która przez całą noc prawie nie zmrużyła oka. Na widok wnuka pisarka poczuła głęboką ulgę oraz ochotę, by porządnie przetrzepać mu skórę. Siły pozwoliły jej jedynie wytargać go za ucho, przy czym zasypała go wyzwiskami.

– Gdzieście się podziewali, przeklęci smarkacze! – wrzasnęła.

– Ja też cię kocham, babciu – zaśmiał się Alex, obejmując ją z całej siły.

– Tym razem mówię poważnie, Aleksie, nigdzie już ze mną nie pojedziesz! A ty, moja pannico, będziesz mi musiała sporo wyjaśnić! – dodała Kate, zwracając się do Nadii.

– Nie ma czasu na sentymentalne pogaduszki, czeka nas sporo roboty – przerwał jej wnuk.

Reszta towarzystwa zdążyła się już obudzić i otoczyła Aleksa i Nadię, zarzucając ich pytaniami. Kate znudziła się wygłaszaniem reprymend, których nikt nie słuchał, i postanowiła nakarmić nowo przybyłych. Wskazała im góry ananasów, mango i bananów, naczynia pełne kurczaków smażonych na oleju palmowym oraz pudding z manioku i warzyw. Wszystko to dostali od tubylców. Alex i Nadia byli w siódmym niebie, bowiem przez ostatnie dwa dni niewiele jedli. Na deser Kate podsunęła im ostatnią puszkę brzoskwiń w syropie.

– A nie mówiłem, że wrócą? Bóg jest wszechmocny! – wykrzykiwał raz po raz brat Fernando.

Uratowani przez Angie strażnicy zostali ułożeni w kącie lepianki. Jeden z nich, o imieniu Adrien, dogorywał – sztylet przebił mu żołądek. Jego towarzysz, Nzé, miał ranę na piersiach, ale zdaniem misjonarza, który napatrzył się na podobne przypadki na wojnie w Ruandzie, żaden ważny narząd wewnętrzny nie ucierpiał i chłopak mógł przeżyć, pod warunkiem że nie nastąpi zakażenie. Stracił dużo krwi, ale był młody i silny. Brat Fernando opatrzył go najlepiej, jak mógł i podał mu antybiotyki z podręcznej apteczki Angie.

– Dobrze, że już jesteście, kochani. Musimy się stąd wydostać, zanim Kosongo zaciągnie mnie na ślubny kobierzec – rzuciła Angie.

– Pigmeje nam w tym pomogą, ale najpierw musimy pomóc im – odparł Alexander. – Pod wieczór przybędą myśliwi. Chcemy zdemaskować Kosonga i wyzwać Mbembelé na pojedynek.

– Po prostu bułka z masłem! Można wiedzieć, jak to zrobicie? – zapytała ironicznie Kate.

Alexander i Nadia przedstawili swoją strategię zakładającą, między innymi, podburzenie ludności Bantu, która miała się dowiedzieć, że królowa Nana-Asante żyje, oraz uwolnienie Pigmejek, aby mogły walczyć u boku swoich mężczyzn.

– Czy ktoś wie, jak unieszkodliwić karabiny żołnierzy? – zapytał Alexander.

– Wystarczyłoby zapchać mechanizm – podsunęła Kate.

Pisarka pomyślała, że do tego celu znakomicie nadaje się żywica używana do zapalania pochodni – gęsta i lepka substancja, przechowywana w każdej chacie w mosiężnej becе. Tylko pigmejskie niewolnice, które zajmowały się sprzątaniem, przynoszeniem wody i przygotowywaniem posiłków dla żołnierzy, miały swobodny dostęp do kwater. Nadzór nad całą operacją miała sprawować Nadia, która zapoznała się z niewolnicami, gdy odwiedziła je w zagrodzie. Strzelba Angie posłużyła Kate za pomoc naukową przy wyjaśnianiu Nadii, gdzie należy wepchnąć żywicę.

Brat Fernando stwierdził, że Nzé, jeden z rannych strażników, również może im być pomocny. Jego matka, a także matka Adriena oraz inni krewni młodzieńców odwiedzili ich poprzedniej nocy z podarkami w postaci owoców, jedzenia, wina palmowego, a nawet tytoniu dla Angie, która stała się lokalną bohaterką, bo sprzeciwiła się komendantowi, na co dotąd nikt jeszcze się nie odważył. Co więcej, ośmieliła się go dotknąć! Nie wiedzieli, jak się jej odwdzięczyć za to, co dla nich zrobiła.

Adrien mógł w każdej chwili umrzeć, ale Nzé był w pełni przytomny, chociaż bardzo osłabiony. Okrutny turniej pozwolił mu uwolnić się od paraliżującego strachu, w którym żył od lat. Los podarował mu kilka dodatkowych dni życia. Nie miał nic do stracenia, bo i tak był już martwy – jak tylko cudzoziemcy się wyniosą, Mbembelé rzuci go krokodylom na pożarcie. Pogodziwszy się z możliwością bliskiej śmierci, Nzé nabrał odwagi, której dotąd nie posiadał. Odwaga ta jeszcze się podwoiła, gdy się dowiedział, że królowa Nana-Asante miała niebawem powrócić, by upomnieć się o tron odebrany jej przez Kosonga. Przyklasnął planowi cudzoziemców, który przewidywał podburzenie Bantu z Ngoubé do powstania, poprosił ich tylko, by jeśli plan się nie powiedzie, zapewnili jemu i Adrienowi szybką śmierć. Nie chciał wpaść żywy w ręce Mbembelé.

Rankiem Kate stawiła się przed komendantem, informując go, że Nadia i Alexander cudem uniknęli śmierci w puszczy i powrócili do wioski. A to oznacza, że ona i jej towarzysze wyjadą nazajutrz, jak tylko przypłyną umówione dłubanki. Dodała, że czuje się rozczarowana faktem, iż nie było jej dane przygotować reportażu o Jego Arcyłagodnej Wysokości, królu Kosongo.

Komendantowi wyraźnie ulżyło na wieść, że uciążliwi cudzoziemcy opuszczą jego terytorium, i był gotowy ułatwić im wyjazd, pod warunkiem że Angie spełni swą obietnicę i dołączy do haremu Kosonga. Kate spodziewała się takiej odpowiedzi i miała w zanadrzu przygotowaną odpowiednią historyjkę. Zapytała, co się stało z królem i dlaczego się nie pokazuje. Czyżby niedomagał? Czy czasem czarownik, który zamierzał poślubić Angie Ninderere, nie rzucił na niego uroku na odległość? Wszem wobec wiadomo, że narzeczona lub małżonka czarownika jest nietykalna, a w tym przypadku mamy do czynienia z typem wyjątkowo mściwym – stwierdziła. Pewien poważany polityk postanowił kiedyś zabiegać o względy Angie i utracił stanowisko, zdrowie oraz majątek. Zrozpaczony, wynajął oprychów, którzy mieli zabić czarownika, ale im się to nie udało, bo maczety rozpuściły im się w rękach jak masło – dodała Kate.

Nawet jeśli ta bajeczka zrobiła na Mbembelé wrażenie, Kate nie mogła tego dostrzec, nie sposób było cokolwiek wyczytać z twarzy ukrytej za lustrzanymi okularami.

– Jego Wysokość król Kosongo wyda dziś wieczorem przyjęcie, by uczcić swój ślub oraz dostarczenie kości słoniowej przez Pigmejów – oznajmił wojskowy.

– Za przeproszeniem, komendancie... Czy handel kością słoniową nie jest aby przestępstwem? – zapytała Kate.

– Kość słoniowa i wszystko, co się tu znajduje, należy do króla. Zrozumiano, stara babo?

– Zrozumiano, komendancie.

W tym samym czasie Nadia, Alexander i pozostali uczestnicy wyprawy czynili przygotowania do tego, co miało się wydarzyć wieczorem. Angie nie mogła im pomóc mimo szczerych chęci, ponieważ przyszły po nią cztery młode małżonki królewskie i zaprowadziły nad rzekę, gdzie razem z nią wzięły długą kąpiel pod czujnym okiem starucha z bambusową rózgą. Gdy ten uniósł rękę, by spuścić przyszłej małżonce swego pana profilaktyczne manto, Angie ciosem w szczękę powaliła go w błoto. Następnie połamała rózgę na swoim tęgim kolanie i rzuciwszy mu w twarz resztki po jego broni, ostrzegła, że jeśli jeszcze raz spróbuje ją tknąć, wyśle go na spotkanie z przodkami. Towarzyszące jej dziewczęta musiały przysiąść, bo ze śmiechu nie mogły utrzymać się na nogach. Z podziwem dotykały muskułów Angie, stwierdzając, że jeśli ta krzepka dama dołączy do haremu, ich życie ulegnie zapewne poprawie. Być może Kosongo trafił nareszcie na równego sobie przeciwnika.

Tymczasem Nadia pokazała Jenie, żonie Beyé-Dokou, jak za pomocą żywicy unieszkodliwić karabiny. Gdy Pigmejka pojęła, na czym polega jej zadanie, bez pytania i bez słowa komentarza podreptała swoimi dziecięcymi kroczkami ku żołnierskiej kwaterze. Była tak mała i niepozorna, tak cicha i dyskretna, że nikt nie zwrócił uwagi na mściwe błyski w jej kasztanowych oczach.

Brat Fernando dowiedział się od Nzé o losie zaginionych misjonarzy. Choć domyślał się prawdy, mocno przeżył potwierdzenie swoich obaw. Misjonarze przybyli do Ngoubé, by szerzyć wiarę, i nic nie zdołało odwieść ich od tego zamiaru, ani groźby, ani piekielny klimat, ani odosobnienie, w jakim musieli żyć. Kosongo odizolował ich od miejscowej ludności, ale mimo to z czasem zaskarbili sobie jej zaufanie, czym rozgniewali króla i Mbembelé. Gdy zaczęli otwarcie protestować przeciwko uciskowi, jaki cierpieli tubylcy, i wstawiać się za pigmejskimi niewolnikami, komendant wpakował misjonarzy oraz ich manatki na dłubankę i posłał w dół rzeki, ale tydzień później braciszkowie powrócili z nowym zapasem sił. Po kilku dniach zniknęli bez śladu. Wersja oficjalna głosiła, że nigdy ich nie było w Ngoubé. Żołnierze spalili ich skromny dobytek, zabroniono o nich wspominać. Nikt nie miał jednak wątpliwości, że misjonarze zostali zamordowani, a ich ciała wrzucono do studni z krokodylami. Nic po nich nie zostało.

– Zginęli jak męczennicy, jak prawdziwi święci, pamięć po nich nie zaniknie – powiedział brat Fernando, ocierając łzy spływające po jego zapadniętych policzkach.

Angie Ninderera wróciła około trzeciej po południu. Z trudem ją poznali. Jej skóra błyszczała od olejków, ubrana była w przepastną tunikę w jaskrawych kolorach, miała na głowie sięgającą sufitu wieżę z warkoczy i złotych i szklanych paciorków, na rękach, od nadgarstka aż po łokieć, złote bransolety, a na nogach sandały z wężowej skóry. Swoim wejściem przyćmiła wszystko wokół.

– Wygląda pani jak Statua Wolności – powiedziała oczarowana Nadia.

– W imię Ojca i Syna! Co oni z panią zrobili! – zawołał ze zgrozą misjonarz.

– Nic, co byłoby nieodwracalne, ojcze – odparowała mu Angie i pobrzękując złotymi bransoletami, dodała: – Za to zamierzam sobie kupić podniebną flotę.

– Jeśli tylko uda się pani uciec od Kosonga.

– Wszyscy uciekniemy, ojcze – uśmiechnęła się Angie, bardzo pewna siebie.

– Nie wszyscy. Ja zostanę, by zająć miejsce moich zamordowanych braci – oznajmił misjonarz.

ROZDZIAŁ 14

Ostatnia noc

Uroczystości rozpoczęły się około piątej po południu, gdy upał nieco zelżał. Wśród ludności Ngoubé panowała bardzo napięta atmosfera. Matka Nzé rozpuściła wśród Bantu wiadomość, że Nana-Asante, prawowita królowa, tak opłakiwana przez poddanych, żyje. Dodała, że cudzoziemcy zamierzają pomóc królowej odzyskać tron i że będzie to niepowtarzalna szansa, by pozbyć się Kosonga i Mbembelé. Jak długo mają jeszcze patrzeć, jak odbierają im synów i zamieniają ich w morderców? Są bezustannie szpiegowani, nie mogą się swobodnie poruszać ani mówić, co myślą, stają się coraz biedniejsi. Kosongo zagarnia owoce ich pracy i podczas gdy on gromadzi złoto, diamenty i kość słoniową, jego poddani nie mogą liczyć nawet na szczepionki. O tym wszystkim matka Nzé porozmawiała w tajemnicy z córkami, te z kolei z przyjaciółkami i po niecałej godzinie buntownicy mieli za sobą większość dorosłych mieszkańców wioski. Nie odważyli się włączyć do spisku strażników, choć byli ich krewnymi, nie można było bowiem przewidzieć ich reakcji. Mbembelé zrobił im pranie mózgu i miał ich w garści.

Najbardziej zdeterminowane do działania były Pigmejki, tego bowiem wieczoru miał się przesądzić los ich dzieci. Ich mężowie zawsze docierali na czas ze słoniowymi kłami, ale tym razem miało być inaczej. Nadia przekazała Jenie wspaniałą nowinę, że odzyskali święty amulet, Ipembę-Afuę, i że mężczyźni wprawdzie wkrótce przybędą do Ngoubé, ale nie z kością słoniową, lecz z zamiarem stawienia czoła Kosongowi. One również będą musiały walczyć.

Przez lata godziły się ze swoim niewolnictwem, wierząc, że tym posłuszeństwem ratują najbliższych, ale ich uległość nie na wiele się zdała: życie plemienia stawało się coraz trudniejsze. Im więcej gotowe były znieść, tym gorszego doświadczały ucisku. Jena wyjaśniła swoim towarzyszkom, że kiedy w lesie zabraknie słoni, ich dzieci i tak zostaną sprzedane. Lepiej zginąć w walce, niż żyć w niewolnictwie.

Wrzało również w haremie Kosonga, gdzie rozeszła się już wieść, że nowa oblubienica niczego się nie boi, siłą dorównuje niemal Mbembelé, kpi sobie z króla i że jednym ciosem powaliła starego z rózgą. Dziewczęta, które nie miały na tyle szczęścia, by zobaczyć jej wyczyn na własne oczy, nie chciały w to uwierzyć. Panicznie bały się Kosonga, który zmusił je, by za niego wyszły, a przed pilnującym ich starym tetrykiem czuły głęboki respekt. Niektóre uważały, że trzy dni wystarczą, by butna Angie Ninderera spuściła z tonu i zamieniła się w jeszcze jedną potulną królewską małżonkę, podobnie jak to było w ich przypadku, ale te z nich, które były z nią nad rzeką i miały okazję przekonać się o jej sile i tupecie, nie miały wątpliwości, że tym razem będzie inaczej.

Jedynymi ludźmi w Ngoubé niezdającymi sobie sprawy, że coś wisi w powietrzu, byli ci, których to w największym stopniu dotyczyło: Mbembelé i jego armia. Władza uderzyła im do głowy, czuli się niepokonani. Stworzyli piekło, w którym było im dobrze, a ponieważ nigdy nie napotkali sprzeciwu, zagapili się.

Na rozkaz Mbembelé kobiety z wioski zajęły się przygotowaniami do królewskich zaślubin. Udekorowały plac setką pochodni i łukami z gałęzi palmowych, ustawiły piramidy z owoców i przyrządziły ucztę z surowców, jakie miały pod ręką: z kur, szczurów, jaszczurek, antylopy, manioku i kukurydzy. Bukłaki z winem palmowym poczęły wcześnie krążyć między strażnikami, ale cywile, zgodnie z instrukcjami matki Nzé, powstrzymali się od picia.

Wszystko było gotowe do podwójnej uroczystości: ślubu króla i dostawy kości słoniowej. Choć noc jeszcze nie zapadła, pochodnie już płonęły, a powietrze przesycone było zapachem pieczonego mięsa. Pod Drzewem Słów ustawili się żołnierze Mbembelé oraz osoby wchodzące w skład jego groteskowego dworu. Ludność Ngoubé zgromadziła się po dwóch stronach placu. Strażnicy czuwali na swoich stanowiskach, uzbrojeni w maczety i drągi. Dla zagranicznych gości ustawiono drewniane ławki. Joel González trzymał w pogotowiu swój sprzęt fotograficzny, a jego towarzysze trwali w napięciu, gotowi wkroczyć do akcji, gdy nadejdzie właściwy moment. Brakowało tylko Nadii.

Honorowe miejsce pod drzewem zajmowała Angie Ninderera, przyciągając wzrok wszystkich swoją nową tuniką i złotymi ozdobami. Zupełnie nie sprawiała wrażenia zaniepokojonej, chociaż tej nocy wiele rzeczy mogło pójść nie tak. Gdy tego ranka Kate podzieliła się z nią swymi obawami, Angie odparła, że nie narodził się jeszcze mężczyzna, który zdołałby ją zastraszyć, i dodała, że już wkrótce Kosongo przekona się, z kim ma do czynienia.

– Niebawem król będzie skłonny oddać mi całe swoje złoto, bylebym tylko wyniosła się jak najdalej stąd – zachichotała.

– Chyba że wcześniej wrzuci cię do studni z krokodylami – mruknęła Kate, bardzo zdenerwowana.

Gdy zjawili się myśliwi z sieciami i dzidami, ale bez słoniowych kłów, mieszkańcy wioski zrozumieli, że tragedia się rozpoczęła i że nic nie zdoła jej już powstrzymać. Długie westchnienie wydobyło się ze wszystkich piersi i obiegło plac; w pewnym sensie odczuwano ulgę: lepiej stawić czoło najgorszemu, niż dalej znosić to koszmarne, trapiące ich od rana napięcie. Zdezorientowani strażnicy otoczyli Pigmejów w oczekiwaniu na rozkazy dowódcy, ale komendant się nie pojawiał.

Upłynęło pół godziny i niepokój obecnych przekroczył wszelkie granice, stając się nie do wytrzymania.

Bukłaki z alkoholem krążyły między młodymi strażnikami, ich oczy podbiegły krwią i stali się gadatliwi i roztargnieni. Któryś z żołnierzy warknął na nich, więc natychmiast odstawili naczynia z winem i przez kilka minut stali na baczność, ale nie wytrwali w dyscyplinie zbyt długo.

Tusz werbli obwieścił w końcu przybycie króla. Pochód otwierały Królewskie Usta, w towarzystwie strażnika niosącego kosz ciężkiej biżuterii ze złota – podarek dla oblubienicy. Kosongo mógł obnosić się publicznie ze swą szczodrością – gdy tylko Angie wejdzie w skład jego haremu, klejnoty na powrót trafią do niego. Następnie szły królewskie małżonki obwieszone złotem oraz ich stary opiekun z opuchniętą twarzą i ostatnimi czterema zębami chwiejącymi mu się w ustach. Widać było wyraźną zmianę w zachowaniu kobiet, nie zachowywały się już jak owce, ale jak stado wesołych zebr. Angie dała im znak ręką, a one odpowiedziały jej porozumiewawczym uśmiechem od ucha do ucha.

Za haremem kroczyli tragarze, dźwigając na ramionach platformę, na której siedział Kosongo we francuskim fotelu. Miał na sobie ten sam co poprzednio strój z imponującym kapeluszem i kryjącą twarz woalką z paciorków. Królewski płaszcz miał gdzieniegdzie ślady osmalenia, ale był w dobrym stanie. Brakowało jedynie pigmejskiego amuletu, jego miejsce na berle zajmowała podobna kość, która z daleka mogła uchodzić za Ipembę-Afuę. Król wolał się nie przyznawać, że odebrano mu święty talizman. Poza tym był przekonany, że i bez niego potrafi zapanować nad Pigmejami, których uważał za istoty niższego rzędu.

Królewski orszak przystanął na środku placu, by dać wszystkim szansę podziwiania monarchy. Zanim jeszcze tragarze udali się z platformą na tradycyjne miejsce pod Drzewem Słów, Królewskie Usta zapytały Pigmejów o kość słoniową. Myśliwi postąpili naprzód i cała wioska zobaczyła, że jeden z nich trzyma w ręku Ipembę-Afuę.

– Słoni nie ma. Nie możemy zdobyć więcej kłów. Teraz chcemy odzyskać nasze kobiety i dzieci. Wracamy do lasu – oznajmił Beyé-Dokou, a głos mu nawet nie zadrżał.

Zapadła grobowa cisza. Dotąd nikomu nawet by nie przeszło przez myśl, że niewolnicy mogliby się zbuntować. W pierwszym odruchu żołnierze chcieli otworzyć ogień do tej gromady karłów, ale nie było Mbembelé i nie miał kto wydać rozkazu, a król ani drgnął. Ludność Ngoubé była zdezorientowana, ponieważ matka Nzé nie powiedziała im nic o Pigmejach. Przez lata Bantu korzystali z pracy niewolników i woleliby ten stan rzeczy utrzymać, ale zdali sobie sprawę, że ich dotychczasowa pozycja została zachwiana. Po raz pierwszy poczuli szacunek do tych małych, biednych, bezbronnych istot, które zdobyły się na niewiarygodną wprost odwagę.

Kosongo przywołał swego herolda i szepnął mu coś do ucha. Królewskie Usta rozkazały przyprowadzić dzieci. Sześciu strażników udało się do jednej z zagród i po chwili wrócili, prowadząc żałosną gromadkę: dwie leciwe kobiety w spódniczkach z rafii z niemowlętami na rękach, otoczone maleńkimi, wystraszonymi dziećmi w różnym wieku. Niektóre z nich na widok rodziców rzuciły się w ich stronę, ale strażnicy zagrodzili im drogę.

– Król musi handlować, to jego obowiązek. Dobrze wiecie, co się dzieje, jeśli nie dostarczacie kości słoniowej – odezwały się Królewskie Usta.

Kate Cold nie mogła dłużej znieść napięcia i mimo że obiecała Alexandrowi, iż nie będzie się wtrącać, wybiegła na środek i stanęła przed królewską platformą, która wciąż spoczywała na ramionach tragarzy. Zapominając zupełnie o zaleceniach protokołu nakazujących paść na kolana przed monarchą, podniesionym głosem zgromiła Kosonga, przypominając mu, że są zagranicznymi dziennikarzami i zadbają o to, by cały świat dowiedział się o zbrodniach przeciwko ludzkości, do jakich dochodzi w Ngoubé. Nim zdążyła dokończyć, dwaj uzbrojeni w karabiny żołnierze chwycili ją pod ręce. Sędziwa pisarka nie przestała perorować, przebierając w powietrzu nogami, podczas gdy niesiono ją ku studni z krokodylami.

Plan opracowany szczegółowo przez Nadię i Alexandra wziął w łeb w przeciągu kilku minut. Każdemu członkowi grupy przydzielono określone zadanie, ale niefortunne wystąpienie Kate wprowadziło zamęt w głowach sprzymierzeńców. Na szczęście strażnicy i reszta mieszkańców Ngoubé również byli zdezorientowani.

Kryjący się do tej pory między chatami Pigmej, którego wyznaczono do zaaplikowania królowi środka usypiającego, zdecydował się nie czekać na dogodniejszy moment. W pośpiechu, do jakiego zmuszały go okoliczności, przytknął swoją broń do ust i dmuchnął, ale zastrzyk przeznaczony dla Kosonga trafił w pierś jednego z tragarzy podtrzymujących platformę. Ten pomyślał, że użądliła go pszczoła, ale miał zajęte ręce i nie mógł się opędzić od domniemanego owada. Jeszcze przez kilka chwil trzymał się na nogach, ale nagle kolana się pod nim ugięły i osunął się nieprzytomny na ziemię. Jego towarzysze nie byli na to przygotowani: platforma przechyliła się, a francuski fotel zaczął się zsuwać. Kosongo wrzasnął, starając się odzyskać równowagę, i przez ułamek sekundy zawisł w powietrzu, po czym runął na ziemię z przekrzywionym kapeluszem, plącząc się w płaszczu i rycząc wściekle.

Angie Ninderera doszła do wniosku, że skoro pierwotny plan legł w gruzach, nastała pora improwizacji. Dała cztery susy i znalazła się obok powalonego króla, dwoma sierpowymi uwolniła się od strażników, którzy próbowali ją zatrzymać, wydała jeden ze swych przeciągłych ryków Komancza i ściągnęła kapelusz z królewskiej głowy.

Postępek Angie był tak nieoczekiwany i zuchwały, że wszyscy zamarli, zupełnie jak na fotografii. Ziemia nie zadrżała, gdy spoczęły na niej stopy króla. Nikt nie ogłuchł od jego wściekłych wrzasków, z nieba nie pospadały martwe ptaki, puszcza nie zatrzęsła się w przedśmiertnych konwulsjach. Na widok twarzy Kosonga nikt nie oślepł, wszyscy natomiast bardzo się zdziwili. Gdy spadł kapelusz z woalką, oczom zebranych ukazała się głowa komendanta Maurice'a Mbembelé, której nie można było pomylić z żadną inną.

– Kate miała rację, mówiąc, że jesteście do siebie za bardzo podobni – zawołała Angie.

Żołnierze zdążyli się już otrząsnąć z wrażenia i otoczyli pospiesznie komendanta, choć żaden z nich nie śmiał go dotknąć. Zaskoczeni byli nawet ci, którzy prowadzili Kate na śmierć, puścili pisarkę i pędem wrócili do dowódcy, ale i oni nie mieli odwagi mu pomóc. W końcu Mbembelé zdołał wyplątać się z płaszcza i skoczył na równe nogi. Był ucieleśnieniem furii: zlany potem, z wytrzeszczonymi oczami i pianą na ustach ryczał jak dziki zwierz. Uniósł swą ciężką pięść, mierząc nią w Angie, ale ta znajdowała się już poza jego zasięgiem.

W tym momencie do akcji wkroczył Beyé-Dokou. Wyzwanie komendanta na pojedynek, nawet w normalnych okolicznościach, wymagało nie lada odwagi, a teraz, gdy ten był rozjuszony, graniczyło to niemal z samobójstwem. Mały myśliwy ginął na tle olbrzymiego Mbembelé, który wznosił się przed nim jak wieża. Zadarłszy głowę, Pigmej wyzwał wielkoluda na jedyny w swoim rodzaju pojedynek.

Pomruk zdumienia obiegł mieszkańców wioski. Nikt nie mógł uwierzyć w to, co się działo. Bantu wystąpili z szeregu i poczęli ustawiać się za Pigmejami, a strażnicy, tak zdumieni jak reszta obecnych, nie wiedzieli, jak mają zareagować.

Mbembelé zawahał się na chwilę, zdezorientowany, podczas gdy słowa niewolnika przenikały do jego mózgu. Gdy w końcu dotarło do niego, jak bardzo zuchwałe było rzucone mu wyzwanie, zarechotał przeraźliwie, a jego śmiech falował w powietrzu przez wiele minut. Żołnierze zawtórowali swemu dowódcy, sądząc, że tego od nich oczekiwał, ale ich śmiech zabrzmiał fałszywie: sprawa nabrała nazbyt groteskowego charakteru i nie mieli pojęcia, jak się zachować. Wrogość miejscowej ludności wydała im się niemal namacalna, czuli również, że zdezorientowani strażnicy Bantu gotowi są wszcząć bunt.

– Zróbcie nam miejsce – rozkazał Mbembelé.

Ezenji, czyli taniec umarłych, a właściwie pojedynek na śmierć i życie, nie był niczym nowym dla mieszkańców Ngoubé, ponieważ w ten właśnie sposób karano jeńców, a przy okazji dostarczano komendantowi jego ulubionej rozrywki. Jedyna różnica polegała teraz na tym, że Mbembelé miał wystąpić nie w roli sędziego ani widza, ale jako jeden z uczestników. Oczywiście, nie czuł najmniejszego niepokoju na myśl o walce z Pigmejem, zamierzał zgnieść go jak robala, ale przedtem zatroszczy się o to, by nieco pocierpiał.

Brat Feranando, który trzymał się do tej pory na uboczu, wystąpił na środek placu. Wiadomość o śmierci jego towarzyszy wzmocniła jego wiarę i dodała odwagi. Nie bał się Mbembelé, ponieważ był przekonany, że istoty nikczemne wcześniej czy później płacą za swe niegodziwości, a komendant wyczerpał już w pełni swój limit zbrodni, nadeszła pora rozliczenia.

– Będę wam sędziował. Broń palna nie jest dozwolona. Co wybieracie: dzidy, noże czy maczety? – zapytał.

– Nic z tych rzeczy. Będziemy walczyć bez broni, gołymi rękami – odparł komendant, łypiąc wokół dziko.

– Niech będzie – zgodził się bez wahania Beyé-Dokou.

Alexander zdał sobie sprawę, że jego przyjaciel wierzył w cudowną moc skamieliny, ale nie wiedział, że amulet jest skuteczny tylko w przypadku broni siecznej i nie zapewni mu ochrony przed nadludzką siłą komendanta, który gołymi rękami mógł go rozerwać na strzępy. Odciągnął na bok brata Fernanda, błagając go, by nie zgadzał się na takie warunki, ale misjonarz zapewnił, że Bóg staje po stronie sprawiedliwych.

– Beyé-Dokou nie ma szans w walce wręcz! Komendant jest znacznie silniejszy! – zawołał Alexander.

– Byk jest również silniejszy od toreadora. Cały sekret polega na tym, by zmęczyć bestię – zauważył misjonarz.

Alex już układał usta do odpowiedzi, gdy nagle zrozumiał, co brat Fernando starał się mu powiedzieć. Pomknął w te pędy, by przygotować Beyé-Dokou do czekającej go próby.

W tym samym czasie na drugim końcu osady Nadia otworzyła bramę zagrody, gdzie przetrzymywano Pigmejki. Dwóch myśliwych, którzy nie brali udziału w królewskiej ceremonii, przyniosło dzidy i rozdało je kobietom. Te jak duchy przemknęły między chatami i ustawiły się wokół placu pod osłoną nocy, gotowe wkroczyć do akcji, gdy nadejdzie pora. Nadia powróciła do Alexandra, który dawał ostatnie wskazówki Beyé-Dokou, podczas gdy żołnierze kreślili ring w tym samym co zwykle miejscu.

– Nie musimy się już martwić o karabiny, Jaguarze. Nie udało nam się jedynie unieszkodliwić pistoletu, który Mbembelé nosi u pasa – poinformowała go Nadia.

– A strażnicy Bantu?

– Nie wiemy, jak się zachowają, ale Kate ma pewien pomysł – stwierdziła dziewczyna.

– Myślisz, że powinienem powiedzieć Beyé-Dokou, iż amulet nie ochroni go przed Mbembelé?

– Po co? To odebrałoby mu tylko wiarę w siebie – odparła Nadia.

Alexander zwrócił uwagę, że jej głos brzmiał ochryple, wydawał się nie do końca ludzki, przypominał krakanie. Nadia miała szkliste oczy i przyspieszony oddech. Była bardzo blada.

– Co ci jest, Orlico? – spytał Alex.

– Nic takiego. Uważaj na siebie, Jaguarze. Czas na mnie.

– Dokąd idziesz?

– Szukać pomocy w walce z trzygłowym potworem, Jaguarze.

– Przypomnij sobie przepowiednię Ma Bangesé, nie możemy się rozdzielać!

Nadia musnęła wargami jego czoło i ruszyła biegiem. W zamieszaniu, jakie panowało w wiosce, nikt, z wyjątkiem Aleksa, nie zauważył białego orła, który uniósł się ponad chatami i poszybował w stronę lasu.

Komendant Mbembelé czekał w jednym z rogów czworoboku. Był bosy, miał na sobie jedynie krótkie spodnie, które nosił pod królewskim płaszczem, oraz szeroki skórzany pas z przywieszonym do niego pistoletem. Natarł sobie ciało olejem palmowym i jego wspaniałe muskuły wyglądały jak wyrzeźbione z kamienia, a skóra błyszczała w migotliwym świetle stu pochodni jak obsydian. Rytualne blizny na ramionach i policzkach oraz ogolona głowa na byczym karku dodatkowo podkreślały niesamowity wygląd komendanta. Klasyczne rysy jego twarzy mogłyby uchodzić za piękne, gdyby nie zniekształcał ich wyraz okrucieństwa. Pomimo nienawiści, jaką człowiek ten wzbudzał, nie sposób było nie podziwiać jego świetnej aparycji.

Z kolei człowieczek stojący w przeciwnym rogu był karłem, który z ledwością sięgał olbrzymiemu Mbembelé do pasa. Nie było nic pociągającego w jego nieproporcjonalnym ciele, płaskiej twarzy o równie płaskim nosie i niskim czole, z wyjątkiem odwagi oraz inteligencji przebłyskujących w jego oczach. Pigmej zdjął wyszarzałą żółtą koszulkę i również był teraz prawie nagi, wysmarowany olejem. Na szyi miał kamyk przewleczony przez sznurek – magiczne odchody smoka będące własnością Alexandra.

– Pewien przyjaciel o imieniu Tensing, znający lepiej niż ktokolwiek inny tajniki walki wręcz, wyjawił mi, że siła przeciwnika jest jednocześnie jego słabością – tłumaczył Alexander Beyé-Dokou.

– Co to znaczy? – spytał Pigmej.

– Siła Mbembelé bierze się z jego rozmiarów i wagi. Przypomina on bawoła – jest górą mięśni. Jest ciężki i dlatego brakuje mu zwinności i szybko się męczy. Poza tym jest zadufany w sobie, nie jest przyzwyczajony do pojedynków. Od lat nie poluje i nie walczy. Ty jesteś w znacznie lepszej formie.

– I mam to – dodał Beyé-Dokou, głaszcząc amulet.

– Ważniejszy jest fakt, że ty walczysz o życie własne i życie swojej rodziny. Mbembelé robi to z przyjemności. To zbir i, jak wszystkie zbiry, jest tchórzem – stwierdził Alexander.

Do Beyé-Dokou podeszła jego żona, Jena, i uścisnąwszy go przelotnie, szepnęła mu coś do ucha. W tej samej chwili bębny obwieściły początek pojedynku.

Wokół oświetlonego przez pochodnie i księżyc czworoboku stali uzbrojeni w karabiny żołnierze z Bractwa Lamparta, za nimi strażnicy Bantu, a w trzecim rzędzie mieszkańcy Ngoubé. Wszystkim udzielił się stan grożącego wybuchem podniecenia. Na życzenie Kate, która nie zamierzała przegapić tak fantastycznego tematu na reportaż, Joel González zamierzał obfotografować całe widowisko.

Brat Fernando przetarł okulary i zdjął koszulę. Jego ciało ascety, bardzo chude i żylaste, było chorobliwie białe. Odziany jedynie w spodnie i wysokie buty, gotował się do roli sędziego, choć nie żywił zbytnich nadziei, że zdoła wyegzekwować poszanowanie podstawowych zasad fair play. Rozumiał, że będzie to walka na śmierć i życie, i miał nadzieję, że uda mu się temu zapobiec. Ucałował szkaplerz, który nosił na piersi, polecając się boskiej opatrzności.

Mbembelé wydał gardłowy ryk i postąpił naprzód. Ziemia zadudniła pod jego stopami. Beyé-Dokou czekał na niego, nie poruszając się, w milczeniu, zachowywał się jak na polowaniu: był czujny i opanowany. Pięść olbrzyma pomknęła ku twarzy przeciwnika jak wystrzelona z armaty kula, ale Pigmej zdążył się uchylić i napastnik chybił o kilka milimetrów. Komendant zachwiał się, ale natychmiast odzyskał równowagę. Gdy wymierzył kolejny cios, jego przeciwnika nie było już tam gdzie przedtem, miał go teraz za plecami. Odwrócił się wściekły i ruszył na niego jak dzika bestia, ale żadne z jego uderzeń nie dosięgło Beyé-Dokou, który pląsał po brzegach ringu. Każdy atak komendanta kończył się unikiem Pigmeja.

Za względu na niewielki wzrost przeciwnika Mbembelé musiał uderzać w dół, w niewygodnej pozycji, która nie pozwalała mu wykorzystać całej siły ramion. Gdyby choć raz trafił do celu, rozpłatałby Pigmejowi głowę, ale jego ciosy napotykały powietrze, Beyé-Dokou był bowiem szybki jak gazela i nieuchwytny jak ryba. Już po chwili komendant ciężko dyszał, pot lał mu się po twarzy, oślepiając go. Postanowił oszczędzać siły, wiedząc już, że nie skończy całej sprawy w pierwszej rundzie, tak jak sobie obiecywał. Brat Fernando zarządził przerwę i Mbembelé z miejsca usłuchał. Wycofał się do swojego rogu, gdzie stał kubeł z wodą, w którym ugasił pragnienie i obmył się z potu.

Alexander czekał w drugim rogu na Beyé-Dokou. Pigmej skierował się w jego stronę tanecznym krokiem, uśmiechając się od ucha do ucha, jakby chodziło o zabawę. To jeszcze bardziej rozwścieczyło komendanta, który starał się złapać oddech. Beyé-Dokou nie chciał pić, pozwolił jedynie, by polano mu głowę wodą.

– Twój amulet ma wielką moc, to najbardziej magiczna rzecz pod słońcem, zaraz po Ipembie-Afua – rzucił wielce zadowolony.

– Mbembelé przypomina pień drzewa, jest mu trudno zgiąć się w pasie, dlatego nie może uderzać w dół – tłumaczył podopiecznemu Alexander. – Bardzo dobrze ci idzie, Beyé-Dokou, musisz tylko jeszcze bardziej go zmęczyć.

– Wiem. To tak jak ze słoniem: nie upolujesz go, dopóki go nie zmęczysz.

Alex uważał, że przerwa trwała zbyt krótko, ale Beyé-Dokou wiercił się niecierpliwie i jak tylko brat Fernando dał znak, wybiegł w podskokach na środek ringu, jak mały chłopiec. Mbembelé dopatrzył się w takim zachowaniu prowokacji i nie zamierzał tego puścić płazem. Z miejsca zapomniał o tym, że powinien się oszczędzać, i ruszył na przeciwnika jak rozpędzony TIR. Oczywiście, nie napotkał na swojej drodze Pigmeja i siła rozpędu wyrzuciła go poza ring.

Brat Fernando stanowczo nakazał mu wrócić do obrysowanego wapnem czworokąta. Mbembelé ruszył ku niemu, chcąc go ukarać za to, że śmie mu rozkazywać, ale przeciągłe gwizdy widowni sprawiły, że stanął jak wryty. Nie wierzył własnym uszom! Nigdy, nawet w najgorszych koszmarach, nie myślał, że ktoś ośmieliłby mu się sprzeciwić. Nie zdążył obmyślić stosownej kary dla zuchwalców, bo Beyé-Dokou kopnął go od tyłu w nogę, skłaniając do powrotu na ring. Był to pierwszy fizyczny kontakt między zawodnikami. Ta małpa go dotknęła! Jego, komendanta Maurice'a Mbembelé! Przyrzekł sobie w duchu, że rozniesie go na strzępy, a potem zje, by dać nauczkę tym krnąbrnym Pigmejom.

W tym momencie stało się jasne, że nie ma co liczyć na poszanowanie zasad uczciwej walki. Mbembelé wyszedł z siebie. Jednym ciosem odrzucił brata Fernanda na koniec ringu i ruszył na Beyé-Dokou, który padł na ziemię i skuliwszy się do pozycji niemal embrionalnej, opierając jedynie na pośladkach, poczęstował napastnika serią kopniaków, które lądowały na nogach wielkoluda. Komendant próbował uderzyć go z góry, ale Beyé-Dokou kręcił się jak bąk i turlał z boku na bok, tak że w żaden sposób nie mógł go trafić. Pigmej zaczekał na moment, gdy Mbembelé już, już miał mu wymierzyć siarczystego kopniaka, i uderzył w jedyną nogę, na której przeciwnik się opierał. Olbrzymia żywa wieża zwaliła się na ziemię. Komendant nie był w stanie się podnieść i bezradnie leżał na plecach jak karaluch.

Brat Fernando, który pozbierał się już po otrzymanym ciosie, przetarł ponownie swoje grube okulary i wrócił na ring. Przekrzykując oszalały tłum na widowni, zdołał ogłosić zwycięzcę. Alexander wskoczył na środek i podniósł do góry rękę Beyé-Dokou, wiwatując na jego cześć. Wtórowali mu wszyscy z wyjątkiem żołnierzy z Bractwa Lamparta, którzy nie mogli się otrząsnąć z zaskoczenia.

Mieszkańcy Ngoubé nigdy jeszcze nie oglądali tak wspaniałego widowiska. W gruncie rzeczy niewielu pamiętało, o co toczył się pojedynek, byli nazbyt oszołomieni niesłychanym wydarzeniem:

Pigmej pokonał olbrzyma. Walka ta miała przejść do historii, opowiadać o niej będą kolejne pokolenia mieszkańców lasu. Jak to zwykle bywa z powalonym drzewem, w ciągu sekundy wszyscy chcieli porąbać Mbembelé na kawałki, choć jeszcze kilka minut przedtem mieli go za półboga. Nadarzała się doskonała okazja do świętowania. Kiedy odezwały się skoczne bębny, Bantu poczęli śpiewać i tańczyć, nie zastanawiając się nawet nad tym, że utracili właśnie niewolników, a przyszłość przedstawiała się dość niepewnie.

Pigmeje prześliznęli się pomiędzy nogami strażników i żołnierzy, zapełnili czworobok i rzuciwszy się w euforii ku zwycięzcy, posadzili go sobie na ramionach. Tymczasem komendant Mbembelé zdołał się pozbierać i wyrwawszy jednemu ze strażników maczetę, rzucił się na gromadkę obnoszącą triumfalnie Beyé-Dokou, który siedząc na ramionach towarzyszy, znalazł się nareszcie w jego zasięgu.

Nikt dokładnie nie widział, co się wtedy stało. Jedni twierdzili, że maczeta wyślizgnęła się ze spoconej, nasmarowanej olejem ręki komendanta, inni zaklinali się, że ostrze za sprawą czarów zatrzymało się centymetr od szyi Beyé-Dokou, po czym uleciało w górę, jak gdyby porwał je huragan. Tak czy owak pewne jest to, że tłum zamarł w bezruchu, a Mbembelé, zdjęty zabobonnym strachem, wyrwał innemu strażnikowi nóż i cisnął nim w tym samym co poprzednio kierunku. Nie mógł dobrze wycelować, bo Joel González zbliżył się do niego i pstryknął mu zdjęcie, oślepiając go lampą błyskową.

Wówczas komendant Mbembelé rozkazał swoim żołnierzom strzelać do Pigmejów. Mieszkańcy Ngoubé rozbiegli się z krzykiem. Kobiety ciągnęły za sobą dzieci, starcy się potykali, psy pędziły na oślep, kury trzepotały skrzydłami i po chwili w zasięgu wzroku pozostali tylko Pigmeje, żołnierze oraz strażnicy, którzy ciągle jeszcze nie mogli zdecydować, czyją wziąć stronę. Kate i Angie ruszyły na pomoc pigmejskim dzieciom, które krzyczały i tuliły się jak szczenięta do dwóch babć. Joel znalazł schronienie pod stołem zastawionym weselnymi smakołykami i stamtąd pstrykał na oślep zdjęcia. Brat Fernando i Alexander stanęli z rozprostowanymi ramionami przed gromadką Pigmejów, broniąc ich własnym ciałem.

Być może któryś z żołnierzy próbował strzelać i okazało się, że jego broń nie działa. Być może inni, zniesmaczeni tchórzostwem dowódcy, którego do niedawna szanowali, wymówili mu posłuszeństwo. Tak czy owak na placu nie rozległ się ani jeden wystrzał, a chwilę potem każdy z dziesięciu żołnierzy z Bractwa Lamparta miał na gardle ostrze dzidy – Pigmejki niepostrzeżenie wkroczyły do akcji.

Mbembelé niczego jednak nie zauważył, wściekłość go zaślepiła. Zrozumiał jedynie że zignorowano jego rozkaz. Wyciągnął zza pasa pistolet, wymierzył w Beyé-Dokou i strzelił. Nie zdążył się przekonać, że kula nie trafiła do celu, odbita magiczną mocą amuletu, ponieważ zanim ponownie nacisnął spust, rzuciło się na niego nieznane mu zwierzę: wielki czarny kot, zwinny i dziki jak lampart, z oczami żółtymi jak u pantery.

ROZDZIAŁ 15

Trzygłowy potwór

Ci, którzy widzieli, jak młody cudzoziemiec przemienia się w czarnego kota, zrozumieli, że jest to najbardziej czarodziejska noc w ich życiu. W ich języku brakowało słów, by opisać takie dziwy, nie potrafili nawet nazwać zwierzęcia, które, rycząc, rzuciło się na komendanta. Nigdy nie widzieli czegoś podobnego. Gorący oddech bestii uderzył Mbembelé prosto w twarz, a pazury wbiły się w jego ramiona. Komendant mógłby pozbyć się kocura jednym strzałem, ale sparaliżował go strach, zdał sobie bowiem sprawę, że ma do czynienia ze zjawiskiem nadprzyrodzonym, fascynującym aktem czarnej magii. Młócąc jaguara pięściami, wyrwał się z jego zabójczego uścisku i począł biec jak oszalały w stronę lasu, ścigany przez zwierzę. Po chwili zniknęli w mroku, wprawiając w zdumienie tych, którzy obserwowali całą scenę.

Życie mieszkańców Ngoubé i Pigmejów było nierozerwalnie związane z magią, otaczały ich duchy, ciągle bali się naruszyć jakieś tabu lub popełnić zniewagę, która przywołałaby z ukrycia tajemne siły. Wierzyli, że choroby ściągane są na ludzi za sprawą czarów i że tylko czary umożliwiają wyzdrowienie; że nie można ruszyć na polowanie ani w podróż, nie odprawiwszy rytuału niezbędnego do przebłagania bóstwa; że noc roi się od demonów, a dzień od zjaw i że zmarli przemieniają się w drapieżne stwory. Świat, jaki ich otaczał, wydawał im się pełen tajemnic, a życie samo w sobie stanowiło swego rodzaju zaklęcie. Widzieli – lub tylko im się wydawało – wiele dowodów na istnienie czarów, nie uważali więc za rzecz niemożliwą, by człowiek przemienił się w dzikie zwierzę. Istniały dwa wytłumaczenia: albo Alexander był potężnym czarownikiem, albo duch zwierzęcia przybrał przejściowo jego postać.

Według brata Fernanda, który stał tuż obok Alexandra, gdy ten wcielił się w swoje totemiczne zwierzę, sytuacja przedstawiała się zupełnie inaczej. Misjonarz, uważający się za racjonalistę, osobę wykształconą i obytą, był świadkiem całego zdarzenia, ale jego umysł wzbraniał się przed zaakceptowaniem tego, co widział. Zdjął okulary i wyczyścił je o spodnie. „Nie ma co, muszę sprawić sobie nowe" – wymamrotał, przecierając oczy. Fakt, że Alexander zniknął dokładnie w chwili, gdy ten olbrzymi kocur wychynął z nicości, można by tłumaczyć na wiele sposobów: była noc, na placu panowało straszliwe zamieszanie, światło pochodni było zwodnicze, a on sam znajdował się w stanie emocjonalnego wzburzenia. Szkoda czasu na gubienie się w domysłach, które do niczego nie prowadzą, robota czeka – zdecydował. Pigmeje – mężczyźni i kobiety – obezwładnili żołnierzy za pomocą sieci i trzymali ich na ostrzu dzid, strażnicy Bantu wahali się, nie wiedząc, czy złożyć broń, czy ruszyć na pomoc swoim dowódcom, mieszkańcy wioski natomiast zdecydowali się wypowiedzieć posłuszeństwo. Dawała o sobie znać atmosfera histerii, która mogła się przerodzić w masakrę, jeśliby strażnicy stanęli po stronie żołnierzy Mbembelé.

Alexander powrócił po kilku minutach. Nic w jego wyglądzie – z wyjątkiem osobliwego wyrazu twarzy, rozżarzonych oczu oraz wyszczerzonych zębów – nie świadczyło o jego niedawnej przemianie. Kate wybiegła mu na spotkanie bardzo podekscytowana.

– Nie zgadniesz, kochany, co się stało! Czarna pantera rzuciła się na Mbembelé. Mam nadzieję, że go pożarła, to i tak niewiele w porównaniu z tym, na co zasługiwał.

– Nie pantera, tylko jaguar, Kate. Nie zjadła go, napędziła mu tylko niezłego stracha.

– Skąd wiesz?

– Ile razy mam ci powtarzać, Kate, że moim totemicznym zwierzęciem jest jaguar?

– Znowu zaczynasz z tą swoją obsesją, Alexandrze! Jak tylko wrócimy do cywilizowanego świata, będziesz musiał odwiedzić psychiatrę. Gdzie jest Nadia?

– Niebawem wróci.

Po półgodzinie sytuacja w wiosce była prawie ustabilizowana, w dużym stopniu dzięki bratu Fernandowi, Kate i Angie. Pierwszy przekonał żołnierzy z Bractwa Lamparta, że jeśli chcą opuścić Ngoubé żywi, nie mają innego wyjścia, jak się poddać, ich broń bowiem nie działa, komendant gdzieś się zaszył, a tubylcy są do nich wrogo nastawieni.

W tym czasie Kate i Angie udały się do swojej lepianki po Nzé i z pomocą krewnych rannego wyniosły go na skleconych naprędce noszach. Biedaka trawiła gorączka, ale gdy tylko matka opowiedziała mu o tym, co zaszło, zgodził się im pomóc. Ułożyli go na widocznym miejscu, skąd przemówił do swych towarzyszy słabym, ale dosadnym głosem, nawołując ich do buntu. Nie było się już czego bać, Mbembelé uciekł. Strażnicy pragnęli powrócić do swoich rodzin i do normalnego życia, ale czuli przed komendantem atawistyczny lęk i przyzwyczaili się do okazywania mu posłuszeństwa. Co się z nim stało? Pożarł go duch czarnego kota? Jeśli pójdą za namową Nzé, a Mbembelé powróci, skończą w studni z krokodylami. Nie wierzyli, że królowa Nana-Asante żyje, a nawet jeśli to prawda, jej moc nie dorównuje potędze Mbembelé.

Połączywszy się nareszcie ze swoimi rodzinami, Pigmeje zdecydowali, że najwyższa pora wracać do lasu, którego nie zamierzali już nigdy więcej opuszczać. Beyé-Dokou włożył swoją żółtą koszulkę, wziął dzidę i podszedł do Alexandra, by zwrócić mu amulet, któremu zawdzięczał, jak sądził, cud, że Mbembelé nie zrobił z niego krwawej miazgi. Pozostali myśliwi żegnali się równie wzruszeni, wiedząc, że po raz ostatni widzą się z tym niezwykłym przyjacielem o duszy lamparta. Alexander ich powstrzymał. Powiedział, że jeszcze nie mogą odejść. Wyjaśnił im, że nawet jeśli się zaszyją w najdalszych leśnych ostępach, gdzie żadna inna ludzka istota nie potrafiłaby przeżyć, nie będą bezpieczni. Ucieczka niczego nie rozwiązuje, wcześniej czy później zostaną schwytani lub będą musieli sami nawiązać kontakt ze światem. Powinni położyć kres niewolnictwu i odnowić przyjacielskie stosunki z mieszkańcami Ngoubé. W tym celu muszą pozbawić Mbembelé władzy i wygnać go stąd raz na zawsze razem z jego żołnierzami.

Zbuntowały się małżonki Kosonga. Zamknięte w haremie od czasu, kiedy ukończyły czternaście lub piętnaście lat, teraz po raz pierwszy w życiu korzystały z uroków młodości. Nie zaprzątając sobie głowy sprawami, które trapiły resztę mieszkańców wioski, urządziły sobie karnawał: wygrywały na bębnach, śpiewały i pląsały; zrywały z rąk, szyi i uszu złote ozdoby i podrzucały je, upajając się wolnością.

Takimi właśnie sprawami zajmowali się mieszkańcy Ngoubé, zgromadzeni w komplecie na placu, gdy nagle, jak spod ziemi, wyrósł przed nimi Sombe, który przychodził wezwany przez tajemne siły, by przywrócić porządek, terror i strach.

Deszcz iskier, podobny do sztucznych ogni, poprzedził pojawienie się potężnego czarownika. Zbiorowy krzyk powitał jego przerażającą postać. Sombe nie odwiedzał wioski od wielu miesięcy i niektórzy mieli już nadzieję, że raz na zawsze odszedł do świata demonów. Ale oto stał teraz przed nimi ten wysłannik piekieł, potężny i rozwścieczony jak nigdy dotąd. Wszyscy obecni cofnęli się w panice, a on wyskoczył na środek placu.

Sława czarownika Sombe przekroczyła lokalne granice i niosąc się z wioski do wioski, rozeszła się niemal po całym kontynencie afrykańskim. Powiadano, że potrafi zabijać myślami, przywracać do zdrowia jednym tchnieniem, przepowiadać przyszłość, rozkazywać przyrodzie, wywoływać senne koszmary, wtrącać w sen, z którego nie można się już obudzić, i porozumiewać się z bogami. Zapewniano, że jest niezwyciężony i nieśmiertelny, że może przybierać postać dowolnego stworzenia wodnego, powietrznego lub lądowego, że przenika do ciała swoich wrogów i pożera ich od środka, wypija im krew i zamienia kości w pył, pozostawiając tylko skórę, którą wypycha popiołem. A tym żywym trupom, zombi, przypada w udziale straszliwy los: muszą mu służyć jako niewolnicy.

Czarownik był olbrzymem, a za sprawą dziwacznego stroju wydawał się jeszcze dwa razy wyższy. Twarz skrywał pod lamparcią maską, na której, zamiast kapelusza, tkwiła czaszka bawołu o ogromnych rogach. Ją z kolei wieńczył pęk gałęzi, jak gdyby z głowy czarownika wyrastało drzewo. Nogi i ramiona obwiesił sobie kłami i pazurami dzikich zwierząt, szyję – wisiorami z ludzkich palców, natomiast u pasa zwisały mu rozmaite fetysze i tykwy z magicznymi miksturami. Owinięty był kawałkami skór rozmaitych zwierząt, sztywnymi od zaschniętej krwi.

Sombe przybył w roli demona-mściciela, zdecydowany zaprowadzić w Ngoubé swoiście pojmowaną sprawiedliwość. Bantu, Pigmeje, a nawet żołnierze Mbembelé nie próbowali nawet stawiać oporu. Skulili się, pragnąc zapaść się pod ziemię, gotowi spełnić każdy rozkaz czarownika. Garstka cudzoziemców, oniemiała ze zdumienia, ujrzała, jak wraz z pojawieniem się czarownika niknie krucha harmonia, która zaczynała się zarysowywać w Ngoubé.

Sombe pochylił się jak goryl, oparł na rękach i rycząc, zaczął się obracać coraz szybciej i szybciej. Co rusz zatrzymywał się i wskazywał na kogoś palcem, a wybrana osoba z miejsca osuwała się na ziemię w głębokim transie, trzęsąc się straszliwie jak w ataku padaczki. Inni nieruchomieli jak posągi, jeszcze inni poczynali krwawić przez nos, usta i uszy. A Sombe znowu rozkręcał się jak bąk, zatrzymywał i jednym gestem powalał kolejną osobę. Kilka minut później po placu tarzało się około tuzina mężczyzn i kobiet, a reszta piszczała, tkwiąc na klęczkach, gryzła ziemię, błagała o przebaczenie i przyrzekała posłuszeństwo.

Zerwał się jakiś dziwny, straszny wiatr i jak trąba powietrzna porwał jednym podmuchem słomiane dachy lepianek, wszystko to, co zalegało na weselnym stole, bębny, łuki palmowe i połowę kur. Burza piorunów rozświetliła noc, a z lasu dobiegł przerażający chór jęków. Setki szczurów rozbiegło się po placu, jakby ktoś zesłał na Ngoubé ich plagę, po czym zaraz zniknęły, pozostawiając po sobie grobowy fetor.

Sombe wskoczył znienacka do jednego z ognisk, na których pieczono mięso na kolację, i zaczął tańczyć na rozżarzonych węglach, chwytając je gołymi rękami i ciskając w wystraszony tłum. Z płomieni i dymu wyłoniły się setki demonicznych postaci, armia zła, która razem z czarownikiem wykonała upiorny taniec. Spod zwieńczonej rogami lamparciej maski wydobył się dziki ryk i zebrani na placu usłyszeli wykrzykiwane przez czarownika imiona obalonego króla i pokonanego komendanta. Podchwycił je rozhisteryzowany, zahipnotyzowany tłum i zaczął powtarzać za nim bez końca: Kosongo, Mbembelé, Kosongo, Mbembelé, Kosongo, Mbembelé...

Wtedy właśnie, gdy czarownik miał już w garści mieszkańców Ngoubé i wynurzał się triumfalnie z ogniska, a płomienie lizały jego nogi, nie parząc ich, z południa nadleciał wielki biały ptak i począł krążyć nad placem. Alexandrowi wyrwał się okrzyk ulgi, rozpoznał bowiem Nadię.

Z czterech stron świata wkroczyły do Ngoubé siły zwerbowane przez Orlicę. Pochód otwierały goryle, czarne, wspaniałe: olbrzymie samce kroczyły z przodu, a za nimi samice z małymi. Następna była królowa Nana-Asante, dumna w swej nagości i skąpych szmatach, z podwiewającymi białymi włosami tworzącymi srebrną aureolę, dosiadająca olbrzymiego słonia, tak leciwego jak ona sama, poznaczonego na bokach bliznami po dzidach. Towarzyszył jej Tensing, himalajski lama, który w astralnej postaci zjawił się na wezwanie Nadii, prowadząc bandę straszliwych yeti w strojach bojowych. Przybywał też szaman Walimai wraz ze zwiewnym duchem swojej żony, na czele trzynastu niezwykłych legendarnych

Bestii z Amazonii. Indianin wrócił do swojej młodzieńczej postaci i zamienił się we wspaniałego wojownika, jego ciało było pomalowane i ozdobione piórami. Na samym końcu tłumnie wkroczyli do wioski świetliści mieszkańcy lasu: przodkowie i duchy zwierząt i roślin, setki, a nawet tysiące dusz, które oświetliły wioskę jak słońce w zenicie oraz orzeźwiły powietrze czystym i mroźnym powiewem.

Złowroga armia demonów rozpłynęła się w tej cudownej poświacie, a czarownik skurczył się do swojej realnej postaci. Strzępy zakrwawionych skór, naszyjniki z palców, fetysze, pazury i kły nie przejmowały już grozą, przypominały raczej dziwaczne guślarskie rekwizyty. Wielki słoń, którego dosiadała królowa Nana-Asante, zamachnął się trąbą i zrzucił lamparcią maskę z bawolimi rogami, odsłaniając twarz czarownika. Wszyscy ją rozpoznali: Kosongo, Mbembelé i Sombe byli jedną i tą samą osobą, trzema głowami tego samego potwora.

Reakcja obecnych była tak nieoczekiwana jak wszystko, co wydarzyło się tej dziwnej nocy. Przeciągły, ochrypły ryk wstrząsnął ludzką masą. Ci, którzy wili się w konwulsjach, ci zamienieni w posągi oraz ci, którzy krwawili, ocknęli się z transu, a leżący na ziemi powstali i wszyscy razem, z najgłębszą determinacją, ruszyli na człowieka, który ich tyle lat tyranizował. Kosongo-Mbembelé-Sombe zaczął się cofać, ale w ciągu niespełna minuty został osaczony. Setka rąk chwyciła go, poderwała z ziemi i poniosła nad głowami ku miejscu kaźni – studni z krokodylami. Przeraźliwy wrzask wstrząsnął lasem, gdy zwaliste cielsko trzygłowego potwora zaczęło znikać w ich paszczach.

Alexandrowi trudność sprawiłoby przywołanie szczegółów owej nocy, nie mógłby o niej opowiedzieć z taką samą łatwością, z jaką opisał swoje poprzednie przygody. Czyżby mu się to wszystko przyśniło? Padł ofiarą zbiorowej histerii? A może jednak widział na własne oczy istoty wezwane przez Nadię? Nie potrafił sobie odpowiedzieć na te pytania. Już po wszystkim, gdy przedstawił Nadii swoją wersję wydarzeń, przyjaciółka wysłuchała go w milczeniu, po czym musnęła wargami jego policzek i powiedziała, że każdy ma swoją prawdę i wszystkie one są tak samo ważne.

Jej słowa okazały się prorocze, ponieważ kiedy Alexander spróbował porozmawiać o tym, co się stało, z pozostałymi członkami wyprawy, każdy opowiedział mu odmienną historię. Brat Fernando na przykład pamiętał tylko goryle i staruszkę na słoniu. Kate Cold wydawało się, że dostrzegła w powietrzu świetliste postacie, pośród których rozpoznała lamę Tensinga, choć wiedziała, że było to niemożliwe. Joel González postanowił wstrzymać się z przedstawieniem swojej opinii do czasu wywołania filmów: to, czego nie zobaczy na zdjęciach, nie wydarzyło się. Wersja Pigmejów i Bantu pokrywała się mniej więcej z jego własną: od czarownika tańczącego w płomieniach poczynając, na przodkach latających wokół Nany-Asante kończąc.

Angie Ninderera widziała znacznie więcej niż Alexander: zobaczyła anioły o przezroczystych skrzydłach i gromady wielobarwnych ptaków, słyszała muzykę bębnów, czuła zapach deszczu z kwiatów i była świadkiem wielu innych cudów. To właśnie usłyszał od niej Michael Mushasha, kiedy nazajutrz przypłynął po nich motorówką.

Jedna z wiadomości radiowych wysłanych przez Angie dotarła do jego obozu i Michael przystąpił natychmiast do akcji poszukiwawczej. Nie znalazł ani jednego pilota, który odważyłby się lecieć do podmokłych lasów, gdzie zaginęli jego przyjaciele; musiał udać się samolotem towarowym do stolicy, wynająć motorówkę i popłynąć w górę rzeki, mając za jedynego przewodnika własny instynkt. Towarzyszył mu przedstawiciel rządu oraz czterech żandarmów, którzy mieli zbadać doniesienia na temat przemytu kości słoniowej, diamentów i niewolników.

W kilka godzin Nana-Asante zaprowadziła ład w wiosce. Nikt nie kwestionował jej władzy. Zaczęła od pogodzenia Bantu z Pigmejami, przypominając im, jak ważna jest dla nich współpraca. Bantu potrzebowali mięsa, którego dostarczali im myśliwi, Pigmeje nie mogliby przetrwać bez produktów oferowanych im przez mieszkańców Ngoubé. Jej zadaniem było nakłonienie Bantu do szanowania Pigmejów, musiała również zrobić wszystko, by Pigmeje przebaczyli im doznane z ich strony krzywdy.

– W jaki sposób nauczysz ich żyć w pokoju, Nano-Asante? – zapytała Kate.

– Zacznę od kobiet, one mają w sobie dużo dobroci – odparła królowa.

W końcu nadszedł moment pożegnania. Podróżnicy byli wycieńczeni, ponieważ niewiele spali, a na dodatek wszyscy, z wyjątkiem Nadii i jej małpki, skarżyli się na ból brzucha. Na domiar złego w ostatnich godzinach przed wyjazdem Joela Gonzaleza od stóp do głów pogryzły moskity, tak że napuchł, dostał gorączki i od ciągłego drapania zamienił się w jedną otwartą ranę. Dyskretnie, nie chcąc wyjść na samochwałę, Beyé-Dokou podsunął mu proszek ze świętego amuletu. Nie minęły dwie godziny, a fotograf był znowu podobny do człowieka. Zachwycony, poprosił o szczyptę specyfiku, by wyleczyć przyjaciela pogryzionego przez mandryla, ale Mushaha powiedział, że Timothy jest już zupełnie zdrów i czeka na nich w Nairobi. Pigmeje zaaplikowali ten sam cudowny proszek Adrienowi i Nzé i ich rany poczęły goić się w oczach. Widząc skuteczność tajemniczej substancji, Alex odważył się poprosić o odrobinę dla swojej mamy. Lekarze zapewniali, że Lisa Cold w pełni pokonała nowotwór, ale jej syn doszedł do wniosku, że kilka gramów magicznego zielonego proszku z Ipemby-Afue zapewni jej długie życie.

Angie Ninderera postanowiła wyleczyć się ze strachu przed krokodylami poprzez negocjacje. Poszła do nich w towarzystwie Nadii. Oparła się o palisadę broniącą dostępu do studni i zaproponowała wielkim jaszczurom pakt. Nadia starała się przetłumaczyć jej słowa jak najdokładniej, ale niezbyt dobrze znała gadzi język. Angie powiedziała krokodylom, że gdyby tylko chciała, mogłaby je powystrzelać, ale zrobi coś innego: każe je zaprowadzić nad rzekę, gdzie zostaną wypuszczone na wolność. W zamian domaga się, by nie nastawały na jej życie. Nadia nie była pewna, czy krokodyle ją zrozumiały i czy dotrzymają słowa, a tym bardziej czy uda im się przekazać warunki umowy innym afrykańskim krokodylom, ale wolała zapewnić Angie, że od tej chwili nie ma już się czego obawiać. Nie zjedzą jej gady, przy odrobinie szczęścia spełni się jej marzenie i zginie w katastrofie lotniczej – dodała Nadia.

Żony Kosonga, aktualnie radosne wdówki, chciały podarować Angie swoje złote ozdoby, ale wtrącił się brat Fernando. Rozpostarł na ziemi koc i nakłonił kobiety, by złożyły tam swoją biżuterię, po czym związał jego cztery rogi i przytaszczył tobołek do królowej Nany-Asante.

– To złoto i dwa słoniowe kły stanowią cały majątek mieszkańców Ngoubé. Ty, Nano-Asante, będziesz wiedziała, jak zarządzać tym dobrem – oznajmił.

– To, co dostałam od Kosonga, należy do mnie – broniła się Angie, nie chcąc się rozstawać ze swoimi bransoletami.

Brat Fernando zgromił ją jednym ze swych apokaliptycznych spojrzeń i wyciągnął dłonie. Z pewnymi oporami Angie ściągnęła klejnoty i oddała je misjonarzowi. Na dodatek musiała obiecać, że zostawi w Ngoubé pokładową radiofalówkę, by wieś miała łączność ze światem, oraz że przynajmniej raz na dwa tygodnie przyleci tu na własny koszt, by zaopatrzyć mieszkańców w niezbędne produkty. Będzie musiała zrzucać wszystko z powietrza, dopóki nie urządzi się w lesie lądowiska. Biorąc pod uwagę miejscowe warunki, nie wyglądało to na łatwe zadanie.

Nana-Asante zgodziła się, by brat Fernando pozostał w Ngoubé i założył misję i szkołę, pod warunkiem, że porozumieją się w kwestiach ideologicznych. Nie tylko ludzie muszą się nauczyć żyć w pokoju – to samo dotyczy bóstw. W ludzkim sercu powinno się znaleźć miejsce dla rozmaitych bogów i duchów.

EPILOG

Dwa lata później

Alexander Cold stał przed drzwiami mieszkania Kate w Nowym Jorku z butelką wódki i bukietem tulipanów. Jego przyjaciółka powiedziała, że nie pójdzie na uroczystość zakończenia szkoły z kwiatkami na nadgarstku czy w dekolcie, jak wszystkie jej koleżanki. Te *corsages* wydawały się jej upiorne. Tego dnia lekki wietrzyk czynił bardziej znośnym majowy upał w Nowym Jorku, ale mimo to tulipany zdążyły oklapnąć. Alex pomyślał, że nigdy nie zdołałby się przyzwyczaić do tego klimatu, i dziękował Bogu, że nie będzie musiał. Uczęszczał na uniwersytet w Berkeley i jeśli wszystko dobrze pójdzie, otrzyma tytuł lekarza w Kalifornii. Nadia wypominała mu jego wygodnictwo. „Nie wiem, jak zamierzasz pracować w najuboższych zakątkach świata, jeśli nie potrafisz żyć bez włoskich *tortellini* twojej mamy i deski surfingowej" – dogryzała mu. Alex przez wiele miesięcy przekonywał ją o zaletach studiowania na jego uniwersytecie i w końcu dopiął swego. We wrześniu Nadia przeprowadzi się do Kalifornii i nie będzie już musiał przemierzać całego kontynentu, by się z nią zobaczyć.

Nadia otworzyła drzwi. Alexander stał z przywiędłymi tulipanami w ręce i zaczerwienionymi uszami, nie wiedząc, co powiedzieć. Nie widzieli się od sześciu miesięcy i nie rozpoznał dziewczyny, która pojawiła się na progu. Przez chwilę myślał, że pomylił mieszkania, ale jego wątpliwości rozwiała Borobá, która z miejsca wskoczyła mu na głowę, drapiąc i gryząc czule. Z głębi dobiegł głos babci wykrzykującej jego imię.

– Tak, to ja, Kate! – odpowiedział, ciągle jeszcze zmieszany.

Wtedy Nadia uśmiechnęła się do niego i znowu była sobą – dziewczyną, którą znał i kochał, dziką i złocistą. Uściskali się, tulipany posypały się na ziemię, a on objął ją wpół i podniósł, krzycząc radośnie, podczas gdy drugą ręką oganiał się od małpki. Na to weszła Kate, powłócząc nogami, wyrwała wnukowi butelkę wódki, którą ledwo trzymał, i jednym kopniakiem zamknęła drzwi.

– Widziałeś, co ona z siebie zrobiła? Przypomina żonę mafiosa – powiedziała do Alexandra.

– Lepiej powiedz, co naprawdę myślisz, babciu – zaśmiał się jej wnuk.

– Nie nazywaj mnie babcią! Kupiła tę sukienkę za moimi plecami, nie prosząc o radę! – zawołała pisarka.

– Nie wiedziałem, że interesujesz się modą, Kate – zauważył Alexander, spoglądając na jej wypchane spodnie i koszulkę w papugi.

Nadia miała buty na wysokich obcasach i czarną obcisłą sukienkę z satyny, krótką i bez ramiączek. Aby oddać jej sprawiedliwość, przyznać trzeba, że nie przejęła się zupełnie uwagami Kate. Okręciła się, by Alexander mógł ją zobaczyć w pełnej krasie. Niewiele zostało z tamtej ozdobionej piórami istoty w krótkich spodenkach, jaką Alex zachował w pamięci. Będzie musiał przyzwyczaić się do tej zmiany, pomyślał, choć miał nadzieję, że nie na długo – bardzo mu się podobała jego dawna Orlica. Nie wiedział, jak się zachować wobec tego nowego wcielenia przyjaciółki.

– Najesz się niezłego wstydu, idąc na uroczystość z tym strachem na wróble, Aleksandrze – powiedziała Kate, wskazując na Nadię. – Chodźcie, chcę Aleksowi coś pokazać.

Pisarka zaprowadziła ich do swego maleńkiego, zakurzonego gabinetu, zawalonego książkami i papierami. Na ścianach pełno było zdjęć, które zgromadziła w ostatnich latach. Alex rozpoznał amazońskich Indian pozujących dla potrzeb Fundacji Diamentu, Dila Bahadura z Królestwa Złotego Smoka, jego żonę Pemę i synka, brata Fernanda w założonym przez niego w Ngoubé ośrodku misyjnym, Angie Ninderere i Michaela Mushahę na słoniu oraz wiele innych znajomych twarzy. Kate oprawiła w ramki okładkę czasopisma „International Geographic" z roku 2002, która zdobyła prestiżową nagrodę. Na fotografii, wykonanej przez Joela Gonzaleza na targowisku w Afryce, on, Nadia i Borobá opierali się atakom rozjuszonego strusia.

– Spójrz, mój drogi, wszystkie trzy książki zostały już opublikowane – powiedziała Kate. – Gdy przeczytałam twoje notatki, zrozumiałam, że pisarza z ciebie nie będzie, nie masz oka do szczegółów. Być może nie przeszkodzi ci to w karierze lekarza, w końcu na świecie roi się od konowałów, ale w literaturze jest to niedopuszczalne – zawyrokowała Kate.

– Nie mam ani oka, ani cierpliwości, dlatego oddałem ci moje notatki. Wiedziałem, że opiszesz to lepiej niż ja.

– Niemal wszystko robię lepiej niż ty – zaśmiała się Kate, mierzwiąc mu włosy szybkim ruchem ręki.

Nadia i Alexander przeglądali książki z uczuciem dziwnego smutku, opisywały one bowiem to wszystko, co im się przydarzyło w ciągu trzech cudownych lat ich podróży i przygód. Być może w przyszłości nie przeżyją niczego, co dałoby się porównać z tamtymi doświadczeniami, niczego magicznego i równie intensywnego. Pocieszali się myślą, że ci ludzi i zdarzenia, i wszystko to, co przeżyli, czego się nauczyli, zostało na tych stronach uwiecznione. Dzięki pióru babci nigdy o nich nie zapomną. Wspomnienia Orlicy i Jaguara znajdowały się właśnie tu, w *Mieście Bestii*, *Królestwie Złotego Smoka* i w *Lesie Pigmejów*...

KONIEC

Spis treści

Książkę wydrukowano na papierze
Amber Graphic 70 g/m²

www.arcticpaper.com

Warszawskie Wydawnictwo Literackie
MUZA SA
ul. Marszałkowska 8, 00-590 Warszawa
tel. (0-22) 827 77 21, 629 65 24
e-mail: info@muza.com.pl

Dział zamówień: (0-22) 628 63 60, 629 32 01
Księgarnia internetowa: www.muza.com.pl

Warszawa 2004
Wydanie I

Skład i łamanie: MAGRAF s.c., Bydgoszcz
Druk i oprawa: P.U.P. ARSPOL, Bydgoszcz